ポケットマスター臨床検査知識の整理

遺伝子関連・染色体検査学

臨床検査技師国家試験出題基準対応

新臨床検査技師教育研究会 編

大島利夫・藤田和博 責任編集

医歯薬出版株式会社

第2版

発刊の序

　臨床検査技師になるためには，幅広い領域についての知識を短期間のうちに習得することが求められている．またその内容は，医学・検査技術の進歩に伴い常に新しくなっている．さらに，学生生活を締めくくり実社会に出ていくための関門となる国家試験はきわめて難関で，臨床検査技師を目指す学生の負担は大きい．

　本書は，膨大な量の知識を獲得しなければならない学生に対し，効率的に学習を進めるために，そして少しでも勉強に役立つよう，学校での授業の理解を深め，平素の学習と国家試験対策に利用できるように配慮してつくられた．国家試験出題基準をベースに構成され，臨床検査技師教育に造詣の深い教師陣により，知っておかなければならない必須の知識がまとめられている．

　「学習の目標」では，国家試験出題基準に収載されている用語を中心に，その領域におけるキーワードを掲載し，「まとめ」では，知識の整理を促すようわかりやすく簡潔に解説することを心掛けた．一通り概要がつかめたら，○×式問題の「セルフ・チェックA」で理解度を確認し，要点が理解できたら，今度は国家試験と同じ出題形式の「セルフ・チェックB」に挑戦してもらいたい．間違えた問題は，確実に知識が定着するまで「まとめ」を何度も振り返ることで確かな知識を得ることができる．「コラム」には国家試験の出題傾向やトピックスが紹介されているので，気分転換を兼ねて目を通すことをおすすめする．

　持ち運びしやすい大きさを意識して作られているので，電車やバスの中などでも活用していただきたい．本書を何度も

開き段階を追って学習を進めることにより,自信をもって国家試験に臨むことができるようになるだろう.

　最後に,臨床検査技師を目指す学生の皆さんが無事に国家試験に合格され,臨床検査技師としてさまざまな世界で活躍されることを心から祈っております.

新臨床検査技師教育研究会

序

　『ポケットマスター臨床検査知識の整理　遺伝子・染色体検査学』は，『最新臨床検査学講座　遺伝子・染色体検査学』をもとに，臨床検査技師国家試験対策に対応した基礎知識の整理を目的につくられています．また，臨床検査技師国家試験対策のみならず，その先にある遺伝子関連認定試験など，卒後のスキルアップを目指した試験準備の副読本としても十分利用できる内容となっています．

　遺伝子検査は，平成30年12月に施行される医療法の改正により，精度管理確保のため，業務経験を有する医師または臨床検査技師の責任者の配置が求められており，臨床検査技師にとってその重要性がますます高まっています．

　そのようななかで，本書は，遺伝子の基礎と遺伝子異常と疾患，遺伝子検査法，染色体の基礎と染色体検査法に分かれて専門家に分担していただき，できるだけわかりやすい内容に努めるよう執筆されています．また，重要な語句や関連事項をコラムで解説し，理解の助けとなるよう工夫されており，効率よく国家試験に必要な知識や臨床に役立つ要点を習得できるようになっています．自身の知識を確認するためや実務初心者の知識確認に，ぜひ本書を利用してほしいと考えています．

2018年11月

編者を代表して　　大島利夫

本書の使い方

1. 国家試験出題基準に掲載されている項目をベースに,項目ごとに「学習の目標」「まとめ」「セルフ・チェックA(○×式)」「セルフ・チェックB〔国家試験出題形式:A問題(五肢択一式),X2問題(五肢択二式)〕」を設けています."国試傾向"や"トピックス"などは「コラム」で紹介しています.
2. 「学習の目標」にはチェック欄を設けました.理解度の確認に利用してください.
3. 重要事項・語句は赤字で表示しました.赤いシートを利用すると文字が隠れ,記憶の定着に活用できます.
4. 「セルフ・チェックA/B」の問題の解答は赤字で示しました.赤いシートで正解が見えないようにして問題に取り組むことができます.不正解だったものは「まとめ」や問題の解説を見直しましょう.
5. 初めから順番に取り組む必要はありません.苦手な項目や重点的に学習したい項目から取り組んでください.

授業の予習・復習に

授業の前に「学習の目標」と「まとめ」に目を通し,復習で「まとめ」と「セルフ・チェックA/B」に取り組むと,授業および教科書の要点がつかめ,内容をより理解しやすくなります.

定期試験や国家試験対策に

間違えた問題や自信がない項目は,「まとめ」の見出しなどに印をつけて,何度も見直して弱点を克服しましょう.

遺伝子関連・染色体検査学 第2版
目 次

1 遺伝子の基礎
- **A** 細胞の構造と機能 1
- **B** 遺伝子の構造と機能 5
- **C** DNAの複製 12
- **D** 遺伝情報の伝達と発現 15
- **E** 遺伝子と疾患 22

2 遺伝子検査法
- **A** 遺伝子関連検査の種類 38
- **B** 検体の取扱い 41
- **C** 核酸抽出 44
- **D** 遺伝子増幅 45
- **E** 解析法 49
- **F** 倫 理 54
- **G** 検査機器 56

3 染色体の基礎
- **A** 染色体の構造と機能 66
- **B** 分類と命名法 70
- **C** ヒトの染色体地図 72
- **D** 染色体異常と疾患 73

4 染色体検査法
- **A** 細胞培養法 79
- **B** 標本作製法 82
- **C** 分染法 84
- **D** 核型分析 87
- **E** fluorescence *in situ* hybridization〈FISH法〉 89
- **F** 検査機器 92

索 引 96

1 遺伝子の基礎

A 細胞の構造と機能

学習の目標
- □ 真核細胞の構造
- □ 細胞小器官（オルガネラ）
- □ 細胞膜
- □ 核
- □ 小胞体
- □ リボソーム
- □ Golgi装置
- □ ミトコンドリア
- □ 中心体
- □ リボソーム

 真核細胞

①真核細胞は10～20 μmのサイズで，扁平状，円柱状，サイコロ状とさまざまな形状をとる．

②細胞の表面は細胞膜で包まれ，そのなかに細胞質と核がある（図

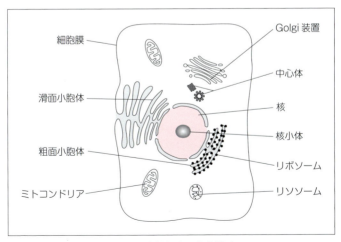

図1-1 真核細胞の基本構造

1-1).
③細胞質にあるさまざまな機能をもつ構造物を細胞小器官（オルガネラ：organelle）という．

細胞小器官

1．細胞膜
① リン脂質が二重層となり，細胞の内外の境界となる構造をもつ．
② 細胞膜にある各種の受容体（レセプター）は，膜貫通蛋白質の一種である．
③ 受容体は細胞の外にあるホルモンや成長因子などのリガンドを認識して結合し，細胞質内へ情報を伝える．

2．核
① 基本的に，核は細胞に1つ存在し，5～7 μmの球形もしくは楕円形の構造である．
② 核膜は内膜と外膜の二重層からなり，外膜は細胞質に面して小胞体とつながっている．
③ 核膜には核膜孔とよばれる多数の小さな穴が開いていて，核と細胞質との間で物質の輸送が行われる．
④ 核内のほとんどはDNAとヒストンやその他の核蛋白質とが結合した染色質（クロマチン）が占める．
⑤ 核内ではDNAの複製，遺伝情報の転写などが行われている．
⑥ 核内には30～50 nmの球形の核小体（仁）が1～数個含まれる．
⑦ 核小体ではリボソームRNA前駆体が合成され，細胞質から運ばれてくるリボソーム蛋白質とともにリボソームがつくられる．

3．小胞体
① 扁平嚢が層状に重なり，核膜と細胞膜ともに連絡している．
② 粗面小胞体はリボソームが付着した小胞体である．
③ 滑面小胞体はリボソームが付着していない小胞体である．

4．リボソーム
① 12～15 nmの小さな粒子で，RNAと蛋白質の複合体である．
② 蛋白質合成，すなわち翻訳が行われる．
③ 小胞体に付着しているリボソームでは消化酵素などの分泌蛋白が合成される．
④ 小胞体に付着していないリボソームを遊離リボソームといい，主

に細胞内で使われる蛋白質が合成される．

5．Golgi装置（Golgi体）
①平たい円盤のような扁平嚢が重なった構造をもつ．
②リボソームで合成された蛋白質を受け取り，分泌する機能をもつ．

6．ミトコンドリア
①0.5×2 μm程度の大きさで，1つの細胞に約1,000個含まれる．
②二重膜で囲まれ，球形，円柱状，あるいは糸状の形を示す．
③内膜の内側にはマトリックス（基質）がある．
④内膜の基質にむけたひだ状の仕切りをクリステという．
⑤核の遺伝情報とは別に独自の遺伝情報（ゲノム）をもち，ミトコンドリア遺伝子という．
⑥ミトコンドリア遺伝子は細胞の複製と同調して自己複製する．
⑦ミトコンドリア遺伝子による遺伝子発現を細胞質遺伝とよぶ．
⑧ミトコンドリア遺伝子は母性遺伝形式をとる．母性遺伝形式は母親の生殖細胞を通して発現する現象である．精子のミトコンドリアは卵子に比べると極端に少なく，また受精の際に排除されるため父親からの遺伝情報が伝わらない．

7．中心体
①中心小体が2つ直角に並び，核の周囲に存在する．
②中心小体は約0.2 μm×0.4 μmの大きさで，中空円筒形の構造である．
③細胞分裂時に中心小体は4つに自己増殖し，2つずつ両極に移動し，細い糸状物質の紡錘糸の極となる重要な役割をもつ．

遺伝子関連・染色体検査学

本科目は，平成27年版（2015年）の国家試験出題基準ではじめて独立して明記されました．遺伝子関連検査，染色体検査は，臨床検査のなかでは比較的新しく，国家試験での出題数はまだ少数ですが，今後重要な役割を担う科目です．また，国家試験では病理組織細胞学，臨床血液学などから出題されることもあります．現場では疾患の特徴にあわせてさまざまな検査室で扱われるため，幅広い領域で共通するベーシックな内容です．

本書はできるだけ箇条書きでまとめているので，国家試験対策だけでなく，はじめて学ぶ学生さんにも，理解しやすいようになっています．

8. リソーム

① 一層の膜に囲まれた0.25〜0.5 μmの球形, 楕円形の小胞である.
② プロテアーゼやリパーゼなどの加水分解酵素を60〜70種含んでいる.
③ 細胞に取り込まれた異物や細胞自身の出す不要物質を消化する機能をもつ.

B 遺伝子の構造と機能

学習の目標
- 核酸の種類
- 核酸代謝
- 遺伝子の構造と機能
- クロマチンの構造

核酸の種類

核酸は核のなかにある酸性物質で、デオキシリボ核酸（deoxyribonucleic acid；DNA）とリボ核酸（ribonucleic acid；RNA）がある．

DNA は遺伝情報を貯蔵し、RNA はそれを伝達する役目をもつ．

1. 核酸の基本構造

①核酸の最小単位はヌクレオチドである．
②ヌクレオチドは五炭糖（ペントース）、塩基、リン酸が結合したものである．
③五炭糖と塩基が結合したものをヌクレオシドという．
④DNA と RNA では五炭糖と塩基の一部が異なる（表1-1）．
⑤核酸を構成する五炭糖は2種類あり、DNA の五炭糖は2'-デオキシリボース、RNA の五炭糖はリボースである．
⑥2'-デオキシリボースはリボースの2'の位置のO（酸素）が取れたもので、−OH基であるか−H基の違いである．
⑦核酸を構成する塩基は5種類あり、アデニン（A）、グアニン（G）、シトシン（C）、チミン（T）、ウラシル（U）である．DNA、RNAはそれぞれ4種類の組合せで構成される．
- DNA は A、G、C、T
- RNA は A、G、C、U

⑧塩基は構造によりピリミジン塩基とプリン塩基の2種に分類される（表1-2）．
⑨ヌクレオチドでは五炭糖の1'の位置にグリコシド結合で塩基が結合する．
⑩ピリミジン塩基はN1の位置に五炭糖が結合する．
⑪プリン塩基はN9の位置に五炭糖が結合する．

表1-1 核酸の基本構造

		DNA	RNA
ヌクレオシド / ヌクレオチド	五炭糖	2'-デオキシリボース	リボース
	塩基	アデニン A グアニン G シトシン C チミン T	アデニン A グアニン G シトシン C ウラシル U
	リン酸	$O=P(OH)(OH)(OH)$	

表1-2 塩基の種類

	ピリミジン塩基	プリン塩基
骨格	(ピリミジン環, N1)	ピリミジン塩基＋イミダゾール環 (N9)
塩基	シトシン，チミン，ウラシル	アデニン，グアニン

⑫ヌクレオチドでは五炭糖の5'の位置にリン酸が結合する．

2．核酸の高分子構造

①ヌクレオチド同士は，五炭糖の5'の位置に結合したリン酸が五炭糖の3'の位置の-OHに結合し，3',5'-ホスホジエステル結合となり，ポリヌクレオチド鎖を形成する．

②ポリヌクレオチド鎖は五炭糖とリン酸が交互に連なることになる．

核酸代謝

1. 食餌からの摂取
① 食餌により摂取した核酸は，結合している蛋白質が胃で消化された後，膵液中の核酸加水分解酵素により分解され消化される．
② DNA は，デオキシリボヌクレアーゼによってジヌクレオチドまたはオリゴヌクレオチドに分解される．
③ RNA は，リボヌクレアーゼによってオリゴヌクレオチドに分解される．
④ オリゴヌクレオチドは，ホスホジエステラーゼによりヌクレオチドになり，さらにホスホモノエステラーゼによりヌクレオシドとなり，小腸から吸収される．

2. 核酸の合成
食餌からの摂取以外に体内でも合成される．

(1) プリンヌクレオチドの合成
ペントースリン酸回路に由来するリボース-5-リン酸からつくられた イノシン酸（IMP）から，グアニル酸（GMP），アデニル酸（AMP）がつくられる．グアノシン2リン酸（GDP），アデノシン2リン酸（ADP），そしてグアノシン3リン酸（GTP），アデノシン3リン酸（ATP）を経てリボヌクレオチドが合成される．

さらに還元酵素によりリボースが還元され，デオキシグアノシン3リン酸（dGTP），デオキシアデノシン3リン酸（dATP）が合成される．

(2) ピリミジンヌクレオチドの合成
二酸化炭素，グルタミン，水が反応してできたカルバモイルリン酸からつくられた オロト酸から，ウリジル酸（UMP）がつくられる．ウリジン2リン酸（UDP），ウリジン3リン酸（UTP）からシチジル酸が合成される経路と，デオキシウリジン2リン酸（dUDP）を経て，デオキシシチミジル酸（dTMP）が合成される経路がある．

3. 核酸の分解

(1) プリンヌクレオチドの分解
GMP，AMP はグアニンとヒポキサンチンになり，キサンチンから 尿酸に代謝され，尿中に排泄される．

(2) ピリミジンヌクレオチドの分解
チミン，ウラシルはアンモニア，二酸化炭素，β-アラニンなどになって排泄される．

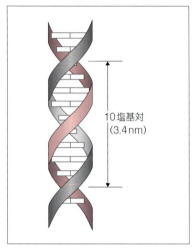

図1-2 DNAの構造

3 遺伝子の構造と機能

一部のウイルスを除けば生物の遺伝物質の本体はDNAである。遺伝子とは、DNAのうち遺伝情報をもつ部分をさす。

1. DNAの構造（図1-2）

①DNAは、2本のポリヌクレオチド鎖が5'-3'方向と3'-5'方向で逆向きになり、二本鎖DNAとなる。

②二本鎖DNAは、1本の軸に巻きつくような共軸二重らせん構造をとる。

③らせんは右巻きで、3.4 nmごとに1回転（1巻き）する。

④1回転に10塩基対ある。
- ヌクレオチドの間隔は0.34 nmである。
- 1塩基対ごとに36°回転している。

⑤塩基は疎水性のため、二本鎖DNAの内側を向く。

⑥塩基同士はアデニンとチミン、グアニンとシトシンが特異的に結合する。
- アデニンとチミンが2本の水素結合（A=T）
- グアニンとシトシンが3本の水素結合（G≡C）

表1-3 RNAの種類

種類	大きさ	特　徴
hnRNA	数千～数万塩基長	mRNAの前駆体
mRNA	500～10,000塩基長	DNAを鋳型として合成される
tRNA	70～80塩基長	mRNAの情報に基づきアミノ酸をリボソームに運ぶ
rRNA	—	翻訳の場であるリボソームの構成成分
snRNA	—	核内にありイントロンの除去に関与する
miRNA	—	遺伝子の発現調節に関与する

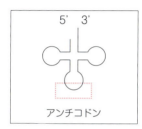

図1-3 tRNAの構造

2．RNAの種類と構造（表1-3）

①RNAは，DNAとは異なり1本のポリヌクレオチド鎖で存在する．
②RNAは種類に応じて特徴的な構造をもつ．

(1) mRNA（メッセンジャーRNA）

①RNAの約3％を占める．
②DNAを鋳型として合成され，蛋白質合成の場に遺伝情報をもたらす役目をもつ．
③鋳型となったDNA鎖と対になっていたDNA鎖と相同である．
④真核細胞のmRNAの5'末端にキャップ構造があり，RNA自身の安定性が高まる．
⑤3'末端には数十～200個のアデニン（A）が連なるポリA構造がある．

(2) tRNA（転移RNA）

①RNAの約15％を占める．
②mRNA上の特定のコドンにアミノ酸を運ぶ役目をもつ．
③3'末端が突出したクローバーの葉型の構造をもち，mRNAのコドンを読み取る部位をアンチコドンという（図1-3）．

④mRNAに対応したアミノ酸は，ATPから生じるアデニル酸（AMP）と結合し活性化され，tRNAの3'末端に結合する．
⑤アミノ酸が結合したtRNAをアミノアシルtRNAという．

(3) rRNA（リボソームRNA）
①RNAの約82％を占める．
②rRNAは蛋白質合成の場であるリボソームの構成成分である．
③リボソームは40Sと60Sの沈降速度をもつサブユニットからできている．40Sのサブユニットには18SのrRNAが，60Sのサブユニットには28S，5.8S，5SのrRNAが含まれている．

(4) hnRNA（ヘテロ核内RNA：heterogeneous nuclear RNA）
①DNAを元に転写されたRNAで，遺伝情報をもたないイントロンも，遺伝情報をもつエクソンも含まれる．
②hnRNAがスプライシング（p.17参照）されてmRNAが合成されるため，mRNA前駆体やプレmRNAともいわれる．

(5) snRNA（低分子RNA：small nuclear RNA）
①真核生物の核内にある小型RNAである．
②スプライシングの過程で作用する．

(6) miRNA（マイクロRNA：micro RNA）
①22塩基の小さなRNAである．
②アンチセンス調節因子であり，翻訳を阻害し，発現を調節している．

4 クロマチンの構造

①長い糸状のDNA分子が蛋白質であるヒストンに巻きついて存在する．このDNA－蛋白質複合体をクロマチンという．
②ヒストンにDNAがまきついた構造をヌクレオソームという．
③ヌクレオソームが規則的にきつく折りたたまれたフィラメントをクロマチン線維という．
④クロマチン線維がさらに巻きついて，ソレノイド，スーパーソレノイドとなり，濃縮したものが染色体である（図1-4）．

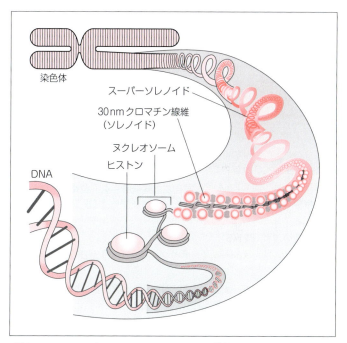

図1-4 DNA，ヌクレオソーム，クロマチン線維，ソレノイド，染色体の関係

(奈良信雄:最新臨床検査学講座 遺伝子・染色体検査学. 池内達郎・他(著)，医歯薬出版，2015，p29)

C DNAの複製

学習の目標
- □ 複製
- □ DNAの損傷と修復

1 複製

① 複製とは，同じDNAが合成される過程のことである．
② 複製は複製開始の塩基配列をもつ複製開始点（複製起点）から始まる．
③ 複製の流れ（図1-5）
  ⅰ) DNAジャイレース（トポイソメラーゼⅡ）がDNAのねじれを取り除く．
  ⅱ) DNAヘリカーゼが二本鎖DNA間の水素結合を切り離す．
  ⅲ) このとき，切り離された一本鎖DNAが二本鎖に戻らないように一本鎖DNA結合蛋白が結合する．
  ⅳ) RNAポリメラーゼから合成されたプライマーが一本鎖DNAに結合する．
  ⅴ) DNAポリメラーゼⅢがプライマー結合部位から3'方向にDNAを合成する．
  ⅵ) プライマー除去後，DNAポリメラーゼⅠがこの隙間を埋める．
  ⅶ) DNAリガーゼがDNA断片を連結し，DNAの複製が終了する．
④ 複製は，二本鎖DNAが一本鎖DNAとなり，それぞれを鋳型として新しいDNAが合成されるため，半保存的複製といわれる．
⑤ 複製開始点は複数あり，この複製領域をレプリコンという．
⑥ 複製が行われる領域がY字型に類似することから複製フォークという．
⑦ 複製フォークはDNAヘリカーゼによってどんどん広がっていく．
⑧ リーディング鎖は，複製フォークの進行方向と同じ方向に形成されるDNAである．
⑨ ラギング鎖は，複製フォークの進行方向と逆の方向に形成される

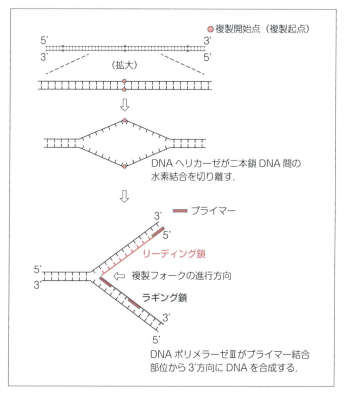

図1-5 複製の流れ

DNAである．
⑩ラギング鎖は小断片が結合して合成される．この小断片を岡崎フラグメントという．

DNAの損傷と修復

自然界にある紫外線，電離放射線，薬物などにより遺伝子が傷害を受けることをDNAの損傷という．

傷害を受けたDNAは，細胞に備わる修復機構によって修復される．

1．塩基除去修復

　塩基の修飾によりDNAが損傷を受けた場合，DNAグリコシラーゼが作用し，修飾された塩基をデオキシリボースから切り離し，エンドヌクレアーゼでDNAを切断し，DNAポリメラーゼとDNAリガーゼにより新しいヌクレオチドで埋めて修復する機構である．

2．ヌクレオチド除去修復

　傷害を受けたDNAのヌクレオチド単位で切り取り，修復する機構で，次の①→④の過程により修復される．
　①エンドヌクレアーゼが損傷を受けたDNAを切断する．
　②DNAポリメラーゼが新しいDNAを合成する．
　③エキソヌクレアーゼが損傷を受けたDNAを除去する．
　④DNAリガーゼが新しいDNAを結合する．

D 遺伝情報の伝達と発現

学習の目標
- ゲノムDNA
- ミトコンドリアDNA
- 転写
- スプライシング
- 翻訳
- 遺伝子発現の調節
- 蛋白質合成
- バリアント

ゲノムDNA

①細胞核に含まれるDNA全体をゲノムという．
②ヒトの細胞には約60億（$6×10^9$）塩基対が46本の染色体に収められている．
③染色体は二倍体（ディプロイド）であり，遺伝情報に必要な半数体（ハプロイド）の約30億（$3×10^9$）塩基対をヒトゲノムという．
④ヒトゲノムには約2万の遺伝子が存在し，遺伝子DNAはDNA全体の3％以下ともいわれる．

ミトコンドリアDNA

細胞小器官であるミトコンドリア内には核内のDNAと異なる遺伝情報をもつ環状構造のDNAが存在し，これをミトコンドリアDNAという．

転写

①転写は，核内で，DNAの塩基配列が鋳型となってRNAに写し換えられる過程である．
②DNAの情報を発現させるための最初の過程となる．
③転写はプロモーター領域にRNAポリメラーゼ複合体が結合することにより始まる．

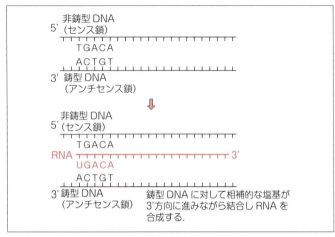

図1-6 転写の流れ

④転写の流れ（図1-6）
　ⅰ）RNAポリメラーゼが塩基を次々と結合させ，3'方向にRNAを合成する．
　ⅱ）このときDNAの塩基に対して相補的に，A→U，T→A，C→G，G→Cという原則に基づき塩基が結合する．
　ⅲ）RNAポリメラーゼが反応を止め，RNA鎖がDNAから離れて転写が終了する．
⑤転写により合成されたRNA鎖をhnRNA（ヘテロ核内RNA：heterogeneous nuclear RNA），またはプレmRNA，mRNA前駆体という．
⑥hnRNAが完成すると5'末端には7メチルグアノシン3リン酸が結合しキャップ構造を形成し，3'末端にはアデニル酸が繰り返し結合したポリA配列ができる．
⑦開始に関わるプロモーター領域の上流にはTATAbox，GCbox，CAATboxとよばれる特異的な塩基配列があり，転写の促進に働いている．
⑧終結に関わるDNA配列をターミネーターとよぶが，機能はまだよくわかっていない．

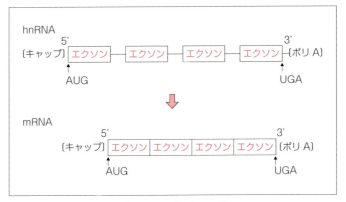

図1-7 スプライシング

4 スプライシング

①遺伝情報をもたないイントロンを取り除き,遺伝情報をもつエクソン部分のみにする過程をスプライシングという(図1-7).
②hnRNAには,エクソンとイントロンが含まれるため,翻訳の前にスプライシングによってmRNA(成熟mRNAともいう)が完成する.

5 翻訳

①翻訳とはmRNAをもとに蛋白質合成を行う過程である.
②蛋白質の合成は細胞質に存在するリボソーム内で行われる.
③mRNA上の3つの塩基配列をコドン(トリプレットコドン)といい,コドンは特定のアミノ酸を指定している.
④tRNAにはアンチコドンがあり,mRNAのコドンに対応するアミノ酸を運ぶ.
⑤翻訳は,核から細胞質へ出てきたmRNAの5'側にリボソームが結合することにより始まり,3'方向に進む.
⑥翻訳の流れ(図1-8)
 ⅰ)開始コドンであるAUGから翻訳が始まる.
 ⅱ)開始には,開始因子(IF-1, IF-2, IF-3)とGTPが必要であ

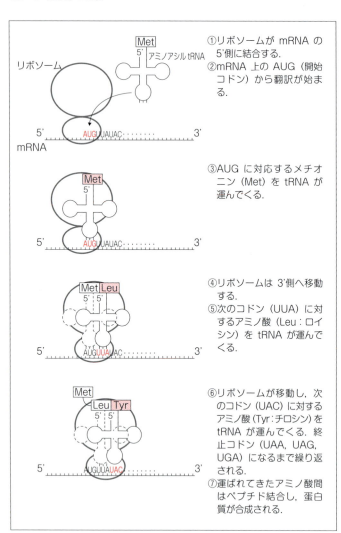

図1-8 翻訳の流れ

D 遺伝情報の伝達と発現 ● 19

表1-4 コドン表

1	2								3
	U		C		A		G		
U	UUU	フェニルアラニン	UCU	セリン	UAU	チロシン	UGU	システイン	U
	UUC	(Phe)	UCC	(Ser)	UAC	(Tyr)	UGC	(Cys)	C
	UUA	ロイシン	UCA		UAA	終止	UGA	終止	A
	UUG	(Leu)	UCG		UAG	終止	UGG	トリプトファン※	G
C	CUU	ロイシン	CCU	プロリン	CAU	ヒスチジン	CGU	アルギニン	U
	CUC	(Leu)	CCC	(Pro)	CAC	(His)	CGC	(Arg)	C
	CUA		CCA		CAA	グルタミン	CGA		A
	CUG		CCG		CAG	(Gln)	CGG		G
A	AUU	イソロイシン	ACU	トレオニン	AAU	アスパラギン	AGU	セリン	U
	AUC	(Ile)	ACC	(Thr)	AAC	(Asn)	AGC	(Ser)	C
	AUA		ACA		AAA	リジン	AGA	アルギニン	A
	AUG	メチオニン(Met)	ACG		AAG	(Lys)	AGG	(Arg)	G
G	GUU	バリン	GCU	アラニン	GAU	アスパラギン酸	GGU	グリシン	U
	GUC	(Val)	GCC	(Ala)	GAC	(Asp)	GGC	(Gly)	C
	GUA		GCA		GAA	グルタミン酸	GGA		A
	GUG		GCG		GAG	(Glu)	GGG		G

〔 〕内は略号 ※トリプトファンは〔Trp〕

る.
iii) AUGに対応するアミノ酸（表1-4）であるメチオニンをtRNAが運んでくる.
iv) アミノ酸を結合したtRNAをアミノアシルtRNAという.
v) アミノ酸を結合するとリボソームは3'側へ移動し，コドンに対応するアミノ酸をペプチド結合により次々に結合させ，蛋白質を合成させていく.
vi) 終止コドンUAA，UAG，UGAにより翻訳は終了する.

6 遺伝子発現の調節

① DNA上のアミノ酸配列をコードしている部分を構造遺伝子という.
② 構造遺伝子を発現させる作動遺伝子が上流（5'側）にあり，さらに上流に発現を制御する調節遺伝子がある.

7 蛋白質合成

①蛋白質は，アミノ酸がペプチド結合によって鎖状に長くつながったものである．
②DNA上にある遺伝情報に基づき，コドンに対応するアミノ酸を特定し，アミノ酸がペプチド結合により次々に結合して蛋白質を合成している．

8 バリアント（変異と多型）

DNAの塩基配列の変化で変異は集団の1%未満，多型は1%以上の頻度で有するものを指すとされていた．しかし，単に変化を示すときや，疾患原因の変化を示す場合など解釈に混乱が生じているため，Human Genome Variation Society（HGVS）では変異や多型という単語を使用せず，バリアント，変化という言葉の使用を推奨している．バリアントは多様体と訳されるが，そのままバリアントと用いることが多い．

1．塩基配列変化
①塩基配列変化は，塩基置換，欠失，挿入，重複，逆位，転座などがあり，DNAの複製ミスで生じることが多い．
②塩基置換は次の2種に分類される．
　（ⅰ）トランジション（塩基転位）：ピリミジン塩基同士もしくはプリン塩基同士で起こる置換．
　　　（C）↔（T）もしくは（A）↔（G）
　（ⅱ）トランスバージョン（塩基転換）：ピリミジン塩基とプリン塩基で起こる置換．
　　　（C）or（T）↔（A）or（G）
③塩基配列変化によって蛋白質合成に変化が生じる．その結果，遺伝形質すなわち表現型に変化が生じ，細胞のがん化，遺伝性疾患などを引き起こす．
④塩基配列変化の原因は，配偶子の形成，遺伝子の複製，遺伝子修復時のエラー，変異原などによる．

2．塩基配列変化による遺伝形質への影響（〔　〕内は従来の表記）
(1) ノンシノニマスバリアント〔ミスセンス変異〕
　塩基置換によりコドンが変化し，異なるアミノ酸がコードされ，蛋

白質の構造が変化する.
(2) ナンセンスバリアント〔ナンセンス変異〕
　塩基置換によりコドンが終止コドン(TAG, TAA, TGA)に変化し, 蛋白質の合成が止まってしまう.
(3) シノニマスバリアント〔サイレント変異〕
　塩基置換によりコドンが変化するが, 同じアミノ酸がコードされるため, 蛋白質の構造は変化しない.
(4) フレームシフト
　塩基欠失によりコドンの枠がずれるため, 蛋白質の構造が変化する.
(5) ミススプライシング
　スプライシング時にエクソンの一部が取り除かれたり, イントロンの一部が残ったりするため, 蛋白質の構造が変化する.

3. さまざまなバリアント
(1) 一塩基バリアント
　一塩基レベルで配列が異なり多様性を示す部分を一塩基バリアント(single nucleotide variant；SNV)とよぶ.
(2) 反復配列
① 複数の異なる箇所で塩基配列が同一であったり, 相同性が高かったりすることがある. 繰り返し観察されることから, 反復配列とよばれる.
② 縦列反復配列のうち, 反復の単位が10〜50塩基のものをミニサテライト, 2〜4塩基のものをマイクロサテライトとよぶ.

E 遺伝子と疾患

学習の目標
- 遺伝の法則
- 遺伝子変異と変異原
- 表現型と遺伝型
- 遺伝子異常と疾患
- 遺伝子診断
- 遺伝子治療
- 移植・再生医療
- ファーマコゲノミクス（PGx）

1 遺伝の法則

1．メンデルの法則

Gregor Johann Mendel（1822-1884）がエンドウ豆の交配実験により遺伝の法則を見出し，1865年に論文を発表したが，当時は評価されなかった．1900年に他の研究者らによりこの内容が認められたため，メンデルの法則の再発見といわれる．

(1) 優性の法則

丸を発現する遺伝子Aとしわを発現する遺伝子aがあるとき，Aはaに対して優性とする．AA接合体とaa接合体をかけあわせるとすべてAaとなり，丸を発現する．これを優性の法則という．

(2) 分離の法則

(1) と同じように丸を発現する遺伝子Aとしわを発現する遺伝子aがあるとき，Aはaに対して優性とする．丸の形質をもつAa（雑種第1代；F1）同士をかけあわせるとAA：Aa：aa＝1：2：1＝丸：丸：しわ（雑種第2代；F2）となる．F1の前の世代で現れていた劣性（しわ）の形質が，F1ではみられず，F2で再び出現する．これはAとaの2種類の対立遺伝子が，減数分裂の際に別々の配偶子に分離するからであり，これを分離の法則という．

(3) 独立の法則

2つの異なる形質をもつ遺伝子の組合せの場合，1つの遺伝子の組合せがもう一方の組合せに影響しない．これを独立の法則という（たとえば，丸を発現する遺伝子Aとしわを発現する遺伝子a，黄色を発

表1-5 遺伝毒性物質とDNAに与える影響

遺伝毒性物質		DNAへの影響
抗がん薬	マイトマイシンC	架橋の形成によりDNA複製を阻害
	ブレオマイシン	DNA合成阻害,DNA鎖切断
炭化水素	ベンゾピレン	DNAに結合
非電離放射線	紫外線	ピリミジンダイマーの形成によりDNA複製で異なる塩基を取り込む
電離放射線	X線,γ線	DNA鎖切断

現する遺伝子Bと緑色を発現する遺伝子bがあるとする．このときA はaに対して優性，Bはbに対して優性とする．AaBb同士でかけあわせると，丸で黄色：丸で緑色：しわで黄色：しわで緑色＝9：3：3：1で出現する）．

遺伝子変異と変異原

変異原とは遺伝子に変化を誘発させる物質で，遺伝毒性物質ともよばれる．
① 遺伝毒性とは，DNAや染色体の構造や量を変化させる性質（事象）をいう．外来性の化学物質・物理化学的要因・内因性の生理的要因などがDNAや染色体，もしくはそれに関連する蛋白質に作用する．
② 遺伝毒性物質とは，その物質自体もしくは代謝物質がDNAに直接作用し，DNA損傷を引き起こす物質である（表1-5）．

表現型と遺伝子型

① 身長の高さ，瞳の色など観察できる形質を表現型（phenotype）という．
② この表現型を作り出している遺伝的要因を遺伝子型（genotype）という．

遺伝子異常と疾患

① 疾患を発生させる要因には，遺伝性素因と環境因子がある．

②疾患のうち単一の遺伝子の異常が発病につながる場合を，単一遺伝子疾患もしくはメンデル遺伝疾患という．
③複数の遺伝子の異常や環境因子が加わって発病する場合を多因子遺伝疾患という．

1．単一遺伝子疾患

単一遺伝子疾患（表1-6）の遺伝形式はメンデルの法則に従う．以下のように大別される．

(1) 常染色体顕性遺伝（常染色体優性遺伝）
①疾患遺伝子をAとすると，AA，Aaで発症し，aaでのみ正常となる．
②患者は世代から次世代へ連続して存在する．

(2) 常染色体潜性遺伝（常染色体劣性遺伝）
①疾患遺伝子をAとする場合，AAでのみ発症し，Aaは保因者となる．
②患者は一世代に集中する．

(3) X連鎖潜性遺伝（X連鎖劣性遺伝）
①疾患遺伝子がX染色体上にあり，疾患遺伝子をX'とすると，X'Y（男性），X'X'（女性）で発症し，X'Xは保因者となる．
②性染色体に依存する遺伝を伴性遺伝というため，伴性潜性遺伝（伴性劣性遺伝）ともいわれる．

顕性遺伝（優性遺伝），潜性遺伝（劣性遺伝）

対立遺伝子でヘテロ接合体のときに表現される対立遺伝子を優性という．それに対し，ホモ結合体でのみ表現される対立遺伝子を劣性という．対立遺伝子をA，aとしたとき，Aaのヘテロ接合体でAの形質が表現されたときAを優性，aaのホモ接合体でaの形質が表現されたときaを劣性という．
2017年9月に日本遺伝学会が発行した遺伝学用語集では，優性は「顕性」，劣性は「潜性」に改訂された．「優性」，「劣性」という表現は優れた遺伝子，劣った遺伝子というように誤解を招くことが理由とされる．
その後，日本医学会でも検討され，2022年1月に優性遺伝，劣性遺伝に代わる推奨用語として「顕性遺伝」，「潜性遺伝」とすることが決定された．ただし，5年ほどは移行期間として，従来の用語も併記する．本書もそれにならい，「顕性遺伝（優性遺伝）」，「潜性遺伝（劣性遺伝）」と表記した．

表1-6 主な単一遺伝子疾患

常染色体顕性遺伝 (常染色体優性遺伝)	家族性大腸腺腫症 Huntington病 神経線維腫症 筋強直性筋ジストロフィー 網膜芽細胞腫 尋常性魚鱗癬
常染色体潜性遺伝 (常染色体劣性遺伝)	フェニルケトン尿症 血小板無力症 Bernard-Soulier症候群 Crigler-Najjar症候群
X連鎖潜性遺伝 (X連鎖劣性遺伝)	血友病A, B 色覚多様性 Duchenne型筋ジストロフィー Lesch-Nyhan症候群

2. 多因子遺伝疾患

①いくつかの遺伝子と環境因子が複雑に加わって発症する.
②糖尿病,脂質異常症,本態性高血圧症のほか,口唇裂などの先天奇形,統合失調症などの精神疾患などがこの疾患群とされる.

3. ミトコンドリア遺伝病

①ミトコンドリア内にあるDNAによる遺伝疾患で,ミトコンドリア脳筋症などが例である.
②精子のミトコンドリアは尾部に存在し,受精時に排除されるため,原則的に母性遺伝形式とされる.

4. 悪性腫瘍

悪性腫瘍は細胞の増殖や分化などに関わる遺伝子の後天的な異常を受け,細胞が無秩序に増殖する疾患である.また,がん遺伝子,がん抑制遺伝子の変異による疾患も認められている(表1-7).

(1) がん(原)遺伝子

細胞性がん遺伝子は,正常な細胞の増殖や分化を調節するはたらきをもつ.変異したり,過剰発現したりすると活性化され,発がん性を発揮する.

(2) がん抑制遺伝子

細胞の過剰増殖の阻止,細胞周期の制御を行う分子をコードする遺伝子である.変異により機能が障害され,発がん性を発揮する.

表1-7　主ながん遺伝子とがん抑制遺伝子

がん遺伝子	主な悪性腫瘍
SRC	乳がん，大腸がん，肺がん
RAS (KRAS, NRAS) (HRAS)	大腸がん，肺がん 膀胱がん
MYC	Burkittリンパ腫
ABL1	慢性骨髄性白血病
RET	褐色細胞腫
EGFR (ERBB1)	肺がん
ERBB2 (NEU, HER2)	乳がん
CCND1 (cyclinD1)	マントル細胞リンパ腫
CTNNB1 (β-catenin)	結腸がん，卵巣がん

がん抑制遺伝子	主な悪性腫瘍
RB1	網膜芽細胞腫
TP53 (p53)	大腸がん
APC	大腸がん，胃がん
CDKN2A (p16)	悪性黒色腫
BRCA1, BRCA2	乳がん，卵巣がん
NF1, NF2	神経線維腫症
WT1	Wilms腫瘍

5 遺伝子診断

遺伝子診断とは遺伝子関連検査により診断することで，遺伝子の変化に基づく疾患全般を対象とする．

1．特徴
①発病前から診断が可能である．
②採取しやすい細胞から検査ができる．
③微量の検体から遺伝子の変化を検出することが可能である．
④感染症では，培養が困難な病原体の検出，迅速な検査が可能，C型肝炎ウイルス(HCV)のようにRNAサブタイプ分類が可能などの長所がある．
⑤診断には，病因となる遺伝子を直接検出する直接的診断法と，DNA多型マーカーを利用し原因遺伝子を推定する間接的診断法がある．

2．目的
(1) 確定診断

すでに発症している患者を対象に行う遺伝子関連検査により，確定診断，鑑別診断を目的に実施される．

(2) 発症前診断
発症する前に将来の発症を予測するために実施される診断である．発症の可能性の有無を知り，予防的措置を講じる場合に実施される．

(3) 保因者診断
次世代における将来の発症を予測するために実施される診断である．家族歴から保因者と考えられる場合，X連鎖潜性遺伝（X連鎖劣性遺伝）疾患の保因者などを対象として実施される．

(4) 出生前診断
胎児が特定の医学的状況にあるか確認するために行う診断である．

夫婦のいずれかが染色体異常の保因者である場合，染色体異常症の児を妊娠・分娩した既往がある場合，高齢妊娠の場合など，適応には条件がある．

羊水，絨毛，その他胎児試料を用いた侵襲的出生前遺伝学的検査，母体血胎児染色体検査（NIPT）などがある（第4章参照）．

(5) その他
感染症の診断や個人識別に使われる（第2章参照）．

6 遺伝子治療

遺伝子の変異が原因で発症する疾患に対して，変異遺伝子の修復，正常な遺伝子の補充などを行い，本来のはたらきに戻すための治療である．

1．原理
本来のはたらきをしていない細胞に正常な遺伝子を導入し，その遺伝子を正しく発現させることにより，細胞を正常のはたらきに戻すことである．この正常な遺伝子の運び役をベクターという．

(1) ベクター
① レトロウイルス，アデノウイルスなどによるベクターをウイルスベクターという．

② 核酸，プラスミド，人工的につくられたリポソームなどによるベクターを非ウイルスベクターという．

③ リポソームとはリン脂質二重膜の小胞である．この内部に遺伝物質を導入して，細胞表面から遺伝子導入をする方法をリポフェクションという．

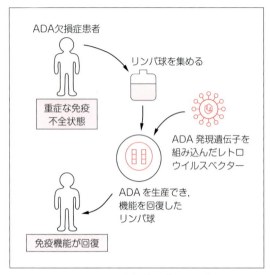

図1-9 ADA欠損症の遺伝子治療
(奈良信雄:最新臨床検査学講座 遺伝子・染色体検査学. 池内達郎・他(著), 医歯薬出版, 2015, p65)

(2) 遺伝子導入法
①細胞を体外に取り出してから遺伝子を導入し, 体内に戻す方法を *ex vivo* 法という.
②生体内の細胞に直接遺伝子を導入する方法を *in vivo* 法という.

2. 臨床応用
アデノシンデアミナーゼ(ADA)欠損症に対して, はじめて遺伝子治療が行われた. 次の通りに進め, リンパ球の機能が正常化し, 免疫機能の回復を図った(**図1-9**).
①ADA欠損症患者のリンパ球を取り出す.
②体外でADA遺伝子を①の患者リンパ球に導入する.
③②を患者に戻す.

ADA欠損症のほか, 家族性コレステロール血症, 囊胞性線維症, Fanconi症候群, Gaucher病などへの応用が期待されている.

表1-8 移植が行われる臓器・組織・細胞

移植が行われる臓器	腎臓,心臓,肝臓,小腸,肺など
移植が行われる組織	角膜,皮膚,骨,軟骨,心臓弁,血管など
移植が行われる細胞	造血幹細胞,神経細胞,膵ランゲルハンス島など

表1-9 臓器移植の種類と提供される臓器

	心臓	肺	肝臓	膵臓	腎臓	小腸	眼球
脳死臓器移植	◎	◎	◎	◎	◎	○	◎
心停止後臓器移植				◎	◎		◎
生体臓器移植		◎	◎	○	◎	○	

(◎は保険適応)

7 移植・再生医療

1. 移植医療

①機能低下した臓器・組織に健康な臓器・組織・細胞を移植することにより,機能回復を図る治療を移植医療という(表1-8).

②移植するためには,提供者(ドナー)と患者(レシピエント)間での主要組織適合抗原(human leukocyte antigen;HLA)が一致していることが望まれる.

(1) 臓器移植

①臓器移植には,死体臓器移植,生体臓器移植があり,前者は脳死臓器移植と心停止後臓器移植に分けられる(表1-9).

②1958年に角膜移植に関する法律,1997年に臓器移植に関する法律(2009年に改正)が制定された.

(2) 造血幹細胞移植

①赤血球・白血球・血小板を生み出す造血幹細胞を移植し,造血・免疫系を再構築させる目的で行われる.

②臓器移植とは異なり,造血免疫系を廃絶する前処理が患者に行われる.

③造血幹細胞移植には,骨髄移植,末梢血幹細胞移植,臍帯血移植がある.

2. 再生医療

損傷や機能低下した組織や臓器を,患者の体外で培養した細胞や組織を用いて機能回復を目指すことを再生医療という(表1-10).

表1-10 再生医療に用いられる細胞

胚性幹細胞（ES細胞）	分割の進んだ受精卵の一部を培養した未分化細胞
人工多能性幹細胞（iPS細胞）	すでに分化した体細胞に初期化因子として4つの遺伝子により幼若化させた未分化細胞
体性（組織）幹細胞	ES・iPS細胞から数段階，いずれかの組織に向かっている分化した細胞

8 ファーマコゲノミクス（PGx）

1．ファーマコゲノミクス（PGx）とは

　同じ薬物を利用しても，効能や副作用の発現に個人差があり，この差は遺伝的な要因による．

　ファーマコゲノミクス（Pharmacogenomics；PGx）とは，薬物応答と関連するDNAおよびRNAの特性の変異に関する研究と定義され，ゲノム薬理学ともよばれている．

2．ファーマコゲノミクス（PGx）検査

①PGx検査は，薬物代謝や薬物応答などに関連した遺伝子を解析し，治療薬の選択，副作用の予測，投与量の調節を目的として行われている．

②たとえば，消化器がん，肺がん，卵巣がんなどのイリノテカン（カンプト・トポテシンなど）治療時の*UGT1A1*多型検査，C型肝炎のインターフェロン治療時の*IL28B*多型検査や各種薬物の代謝に関わるチトクロームP450（CYP）多型検査などがPGx検査として実施されている．

セルフ・チェック

A 次の文章で正しいものに○，誤っているものに×をつけよ．

	○	×
1. 核内でDNAの複製が行われる．	□	□
2. 核内で転写が行われる．	□	□
3. 核小体でリボソームRNA前駆体が合成される．	□	□
4. 滑面小胞体はリボソームが付着した小胞体である．	□	□
5. リボソームで蛋白質合成が行われる．	□	□
6. ミトコンドリア遺伝子はメンデルの法則に従って遺伝する．	□	□
7. 中心体は細胞分裂で重要な役割をもつ．	□	□
8. 五炭糖，塩基，リン酸をヌクレオシドという．	□	□
9. RNAはポリヌクレオチド鎖である．	□	□
10. シトシンはプリン塩基である．	□	□
11. ウラシルはDNAを構成する塩基である．	□	□
12. グアニンと相補的に結合する塩基はシトシンである．	□	□
13. 核酸のヌクレオチドとヌクレオチドの間はペプチド結合でつながっている．	□	□
14. 核酸は体内でも合成される．	□	□
15. プリン塩基はイノシン酸からつくられる．	□	□
16. 二本鎖DNAは各々のポリヌクレオチド鎖が水素結合で結合している．	□	□

A 1-○，2-○，3-○，4-×（滑面小胞体にはリボソームがない．リボソームが付着しているのは粗面小胞体），5-○（蛋白質合成，すなわち翻訳に関わる），6-×（母性遺伝形式をとり，父から子への遺伝はまれである），7-○，8-×（五炭糖，塩基，リン酸をヌクレオチドといい，核酸の最小単位である．ヌクレオシドとは五炭糖と塩基をいう），9-○，10-×（シトシンはピリミジン塩基），11-×（ウラシルはRNAを構成する塩基），12-○，13-×（ヌクレオチド同士は3',5'-ホスホジエステル結合でつながっている），14-○，15-○，16-○

17. DNAは3.4×10⁻⁹ mで1回転している． □ □
18. mRNAはRNAのなかで最も多くを占めている． □ □
19. mRNAの5'末端にキャップ構造という特徴的な
    配列がある． □ □
20. アンチコドンはmRNA上にある． □ □
21. tRNAは5'が突出したクローバーの葉型の構造をもつ． □ □
22. tRNAはアミノ酸を結合してリボソームに運搬する
    働きをする． □ □
23. クロマチンとはDNAと蛋白質の複合体である． □ □
24. DNAジャイレースは複製の過程でDNAの二本鎖を
    切り離す． □ □
25. 複製ではたらくプライマーはRNAポリメラーゼから
    合成される． □ □
26. ラギング鎖とは複製フォークの進行方向と同じ方向に
    形成されるDNAである． □ □
27. 塩基除去修復では損傷を受けた塩基をDNAグリコ
    シラーゼが切り離す． □ □
28. ヌクレオチド除去修復では損傷を受けたDNAを
    エキソヌクレアーゼが切断する． □ □
29. ヒトゲノムのサイズは約30億である． □ □
30. DNAを鋳型として転写されたポリヌクレオチド鎖を
    cDNAという． □ □
31. TATAboxとは転写開始に関わる塩基配列である． □ □

17-○（3.4 nm＝3.4×10⁻⁹ m），18-×（mRNAはRNAの約3％を占め，最も多く占めるのはrRNA），19-○，20-×（mRNA上にあるのはコドンであり，それに対応するアンチコドンはtRNA上にある），21-×（3'が突出している），22-○，23-○，24-×（DNAジャイレースはねじれを取り除く作用をもち，二本鎖を切り離すのはDNAヘリカーゼ），25-○，26-×（ラギング鎖は複製フォークの進行方向と逆に形成される），27-○，28-×（損傷を受けたDNAを切断するのはエンドヌクレアーゼ），29-○，30-×（cDNAとはRNAを逆転写したときに合成されるポリヌクレオチド鎖．DNAを鋳型として転写されたポリヌクレオチド鎖はhnRNAもしくはプレmRNAという），31-○

32. 翻訳とはtRNAをもとに蛋白質合成を行う過程である． □ □
33. 翻訳は5'方向に進む． □ □
34. 蛋白質はアミノ酸同士がグリコシド結合している． □ □
35. ノンシノニマスバリアント（ミセンス変異）はコドンの変化が生じてもアミノ酸が変化しない． □ □
36. ナンセンスバリアント（ナンセンス変異）はコドンの変化により異なるアミノ酸がコードされる． □ □
37. シノニマスバリアント（サイレント変異）は塩基置換により終止コドンが生じる． □ □
38. メンデルの法則には優性の法則，分離の法則，独立の法則の3つがある． □ □
39. 紫外線によりDNAの切断が誘発される． □ □
40. ブレオマイシンにより架橋の形成が誘発される． □ □
41. 家族性大腸腺腫症は常染色体顕性遺伝（常染色体優性遺伝）である． □ □
42. Huntington病は常染色体潜性遺伝（常染色体劣性遺伝）である． □ □
43. フェニルケトン尿症は常染色体顕性遺伝（常染色体優性遺伝）である． □ □
44. 血友病は常染色体潜性遺伝（常染色体劣性遺伝）である． □ □

32-×（mRNAをもとにする），33-×（mRNAの5'側にリボソームが結合し，3'方向に進んでいく），34-×（アミノ酸同士はペプチド結合），35-×（シノニマスバリアント（サイレンス変異）のこと），36-×（ノンシノニマスバリアント（ミセンス変異）のこと），37-×（ナンセンスバリアント（ナンセンス変異）のこと），38-○，39-×（紫外線によりピリミジンダイマーが誘発される），40-×（ブレオマイシンによりDNAの切断が誘発される．架橋の形成はマイトマイシンCによる），41-○，42-×（Huntington病は常染色体顕性遺伝（常染色体優性遺伝）），43-×（フェニルケトン尿症は常染色体潜性遺伝（常染色体劣性遺伝）），44-×（血友病はX連鎖潜性遺伝（X連鎖劣性遺伝））

45. Duchenne型筋ジストロフィーはX連鎖潜性遺伝（X連鎖劣性遺伝）である．
46. ミトコンドリア遺伝病は父性遺伝形式である．
47. *MYC*はがん遺伝子である．
48. *RAS*はがん抑制遺伝子である．
49. *TP53*はがん抑制遺伝子である．
50. *RB1*は網膜芽細胞腫の原因遺伝子である．
51. *BRCA1/2*は遺伝性乳がん卵巣がん症候群〈HBOC〉の原因遺伝子である．
52. プラスミドはベクターとして利用することができる．
53. レトロウイルスはベクターとして利用することができない．
54. 腎臓は心停止後にも臓器提供できる．
55. iPS細胞は受精卵を利用した未分化細胞である．
56. ファーマコゲノミクスは薬物に関連するDNAやRNAの変異に関する研究である．

45-○，46-×（ミトコンドリア遺伝病は母性遺伝形式），47-○（*MYC*はBurkittリンパ腫に関わるがん遺伝子），48-×（*RAS*には*KRAS*，*NRAS*，*HRAS*があり，*KRAS*，*NRAS*は大腸がん，肺がん，*HRAS*は膀胱がんに関わるがん遺伝子），49-○（*TP53*は主に大腸がんに関わるがん抑制遺伝子），50-○，51-○，52-○，53-×（レトロウイルスやアデノウイルスなどはウイルスベクターとして用いられる），54-○，55-×（iPS細胞はすでに分化した体細胞を幼若化させた未分化細胞），56-○

B

1. RNAを構成するピリミジン塩基はどれか．2つ選べ．
   - ① チミン
   - ② アデニン
   - ③ ウラシル
   - ④ グアニン
   - ⑤ シトシン

2. 核酸について正しいのはどれか．2つ選べ．
   - ① リボースはDNAの五炭糖である．
   - ② 五炭糖とリン酸は水素結合をしている．
   - ③ DNAの二本鎖はグリコシド結合をしている．
   - ④ ヌクレオチド同士はホスホジエステル結合をしている．
   - ⑤ ヌクレオシドとは五炭糖と塩基が結合した分子である．

3. 傷害DNAの除去修復機構に関与しない酵素はどれか．
   - ① エキソヌクレアーゼ
   - ② エンドヌクレアーゼ
   - ③ DNAポリメラーゼ
   - ④ DNAジャイレース
   - ⑤ DNAリガーゼ

B 1-③と⑤（①〜⑤はすべて核酸の塩基．ピリミジン塩基はチミン，ウラシル，シトシンの3つあるが，RNAを構成するピリミジン塩基はウラシルとシトシン．DNAを構成するピリミジン塩基はチミン，シトシン），2-④と⑤（①：リボースはRNAの五炭糖．②：五炭糖とリン酸はグリコシド結合．③：DNAの二本鎖は塩基同士が水素結合でつながっている），3-④（除去修復では，エンドヌクレアーゼ→DNAポリメラーゼ→エキソヌクレアーゼ→DNAリガーゼの順番で作用している）

4. 蛋白質の生合成で正しいのはどれか．2つ選べ．
- ① 転写はリボソーム内で行われる．
- ② 翻訳は核内で行われる．
- ③ 翻訳はmRNAの5'側から行われる．
- ④ 転写にはDNAポリメラーゼが必要である．
- ⑤ アミノ酸が結合したtRNAをアミノアシルtRNAという．

5. DNA塩基配列を決定したところ，トリプレットコドンがATTからATGに置換していた．この変化はどれか．
- ① シノニマスバリアント（サイレント変異）
- ② ナンセンスバリアント（ナンセンス変異）
- ③ ノンシノニマスバリアント（ミスセンス変異）
- ④ スプライシング
- ⑤ フレームシフト

6. DNAの切断を誘発する変異原はどれか．2つ選べ．
- ① 紫外線
- ② SH化合物
- ③ 電離放射線
- ④ アルキル化剤
- ⑤ マイトマイシンC

4-③と⑤（①：転写は核内，②：翻訳はリボソームで行われる．④：転写に関わる酵素はRNAポリメラーゼ），5-③（ノンシノニマスバリアント（ミスセンス変異）はコドンの変化により異なるアミノ酸がコードされる．置換されたATGは開始コドンであり，メチオニンがコードされるのはATGのみであるため，ノンシノニマスバリアント（ミスセンス変異）である．ATTはイソロイシン），6-②と③（①：紫外線はピリミジンダイマー，④：アルキル化剤はアルキル化，⑤：マイトマイシンは架橋の形成を誘発する）

7. がん抑制遺伝子はどれか．
- ☐ ① *RAS*
- ☐ ② *TP53*
- ☐ ③ *MYC*
- ☐ ④ *ERBB2*
- ☐ ⑤ *CTNNB1*（β-catenin）

7-②（②：*TP53* は主に大腸がんに関わるがん抑制遺伝子．①：*RAS* の *KRAS*，*NRAS* は肺がん，大腸がん，*HRAS* は膀胱がん，③：*MYC* は Burkitt リンパ腫，④：*ERBB2* は乳がん，⑤：*CTNNB1*（β-catenin）は結腸がん，卵巣がんなどに関わるがん遺伝子）

2 遺伝子検査法

A 遺伝子関連検査の種類

学習の目標
- □ 病原体遺伝子検査（核酸検査）
- □ 体細胞遺伝子検査（遺伝子検査）
- □ 生殖細胞系列遺伝子検査（遺伝学的検査）

遺伝子関連検査は，3つに分けられる．
①病原体遺伝子検査（核酸検査）：感染症を起こす病原体（細菌，ウイルス，その他）の核酸（DNA，RNA）を定性的，定量的に検出することで感染症の診断や治療に用いる検査．
②体細胞遺伝子検査（遺伝子検査）：がん細胞など腫瘍細胞の遺伝子の変異や発現異常を解析することで，悪性腫瘍の診断や治療に用いる検査．
③生殖細胞系列遺伝子検査（遺伝学的検査）：遺伝性疾患や家族性腫瘍の診断，保因者診断，発症前診断，出生前診断を行うことで遺伝学的な診断や治療に用いる検査．

1 病原体遺伝子検査（核酸検査）

1．細菌核酸検査
抗酸菌（ヒト型結核菌，非結核性抗酸菌）のDNA検査，クラミジア，淋菌，マイコプラズマ，百日咳，レジオネラなどの検出や薬剤耐性遺伝子検査，毒素遺伝子検査，分子疫学解析などに用いられる．

2．ウイルス検査
B型肝炎ウイルス定量検査，C型肝炎ウイルス定量検査およびウイルスサブタイプ，ジェノタイプ，薬剤耐性変異検査などが行われる．

3．その他
深在性真菌症の遺伝子検査としてカンジダ，アスペルギルス，ニューモシスチス・イロベチなどの遺伝子（核酸）検査が行われる．

体細胞遺伝子検査(遺伝子検査)

1. 白血病遺伝子検査
慢性骨髄性白血病(CML), 急性リンパ性白血病(ALL)の *BCR-ABL1 融合mRNA* のRT-PCR検査による定性・定量検査や, 悪性リンパ腫における病型分類に用いられている.

2. がん遺伝子検査
がん細胞などにおける点突然変異, 遺伝子増幅, 遺伝子再構成の解析による診断や治療, 発がんドライバー遺伝子(がん遺伝子, がん抑制遺伝子など)の異常を調べることで, 分子標的薬の選択に用いられている.

生殖細胞系列遺伝子検査(遺伝学的検査)

1. 遺伝学的検査
① Huntington病, 脊髄変性小脳症などのポリグルタミン病
② Duchenne型筋ジストロフィー, Becker型筋ジストロフィー, 福山型筋ジストロフィー, 家族性アミロイドニューロパチー, Charcot-Marie-Tooth病などの神経・筋疾患
③ ライソゾーム病, 先天性糖尿病などの先天性代謝疾患
④ 内分泌疾患, 呼吸器疾患などの内臓疾患
⑤ 血液・凝固・免疫系疾患
⑥ ミトコンドリア病

などの遺伝子変異の検査が行われている.

発がんドライバー遺伝子

がんの発生・進展において, 直接的に重要な役割を果たすがん遺伝子・がん抑制遺伝子などを, 発がんドライバー遺伝子とよぶ. がんの発生過程においては, ゲノム不安定性が生じ, ゲノム変異が起こりやすい状態となるため, がんの発生には無関係な遺伝子にもランダムに変異が起こることが知られている. ドライバー遺伝子は低分子阻害剤や抗体医薬など, さまざまな分子治療の標的として有望である.

2. 家族性腫瘍のがん遺伝子検査
 確定診断と保因者診断，発症前診断や出生前検査が行われている．
3. 薬剤代謝酵素（ファーマコゲノミクス）検査
 イリノテカン，ゲフィチニブなどの抗がん剤における薬物代謝遺伝子，チトクロームP450変異などの薬物代謝酵素の検査などがある．

個人識別
 法医学的遺伝子診断のうち，個人識別では特定の配列を認識する制限酵素でDNAを消化し，サザンブロット法で制限酵素断片長多型（RFLP）を検出するDNA指紋（fingerprint）や，犯罪捜査などではDNAの繰り返し配列を検出するSTR（short tandem repeat）法を用い，統計学的な確率により個人の一致不一致を推定することが行われている．同様に血縁関係の推定も行われる．ただし，親子鑑定は法医学的DNA検査であり，医療の枠組みには含まれない．

B 検体の取扱い

学習の目標
- ☐ 検体の採取と保存
- ☐ 検体試料の前処理
- ☐ 検体の品質管理

検査の精度を高めるためには,適切な検体の採取と保存,必要に応じた前処理を行う.

 検体採取と保存

1. 全般的な注意点
①感染症の検査や腫瘍の検査では,病原体や腫瘍細胞が十分含まれるように採取する.
②細胞を放置するとヌクレアーゼにより核酸が分解されるため,できるだけ早く核酸抽出を行う.
③すぐに核酸抽出しない場合は,2〜8℃で冷蔵保存する.検査までに長時間を要する場合は,血液検体などでは,白血球分離後,−80℃以下で凍結保存する.

2. 血液
①検体採取には,抗凝固剤にEDTAまたはクエン酸ナトリウムを用いる.
②保存には,白血球分離後−80℃で凍結保存する.
③骨髄検体では,FBS(ウシ胎児血清)を含んだ専用の保存液(細胞培養液)を用いる.

3. 喀痰
①早朝起床時の喀痰を採取する.
②痰が出にくい場合は,体位変換や生理食塩水ネブライザーを行う.
③採取容器は滅菌容器を用いる.
④短時間の保存は,採取後2〜8℃で冷蔵保存する.
⑤長期保存は,−80℃以下で凍結保存する.

4. 尿・体液
①検体採取後,短時間の保存は2〜8℃で冷蔵保存する.

②長期保存は，尿中の細胞沈渣では，-20℃以下で冷凍保存する．ウイルスなどの検査では，沈殿促進剤で沈殿させた後，沈渣を-80℃以下で保存する．

5．組織・生検材料
①ただちに核酸抽出するか，液体窒素を用いて急速に凍結する．
②口腔粘膜細胞では，うがいや擦過により細胞を採取する．口腔粘膜のDNAは比較的安定で，4℃冷蔵で10カ月程度保存可能である．

6．糞便
①自然排泄，直腸スワブで滅菌容器に採取する．
②長期保存は，-80℃で冷凍保存する．

検体試料の前処理

1．血液
比重遠心法やバフィーコート法で白血球を分離する．

2．喀痰
NALC（N-アセチル-L-システイン）-NaOHで処理し，粘性を下げ，雑菌を殺菌処理する．

3．尿・体液
目的によって異なるが，細胞を対象とする場合は，遠心して上清を除去しPBSなどで洗浄後，再度遠心して細胞沈渣をサンプルとする．ウイルス・細菌を目的とする場合は，低速で遠心して不用な夾雑物を沈殿させ上清を用いる．

4．組織・生検材料
組織の自己融解による核酸の分解が問題となるため，迅速に病変部位を切り分ける．

5．糞便
残渣が多く含まれている場合は，リン酸緩衝液食塩水で繰り返し洗浄して，沈渣にする．

検体の品質管理

①検査の精度を高めるためには，感染症の検査では病原体が，腫瘍の検査では腫瘍細胞が十分含まれることが重要である．

②ヘパリンやヘモグロビンはPCR反応を阻害するため，血液採取時は抗凝固剤にEDTAを用い，検体に赤血球が混在しないよう除去する．

③サンプルの凍結融解の繰り返しは，核酸を劣化させる．

C 核酸抽出

学習の目標
- [ ] DNA抽出
- [ ] RNA抽出

1 DNA抽出

① DNAの抽出法は，フェノール・クロロホルム法が一般的である．DNA抽出キットは，100種類にも及び，凝集分配法，スピンカラム法，自動核酸抽出法などがある．

② DNAは，蛋白質，脂質とともに細胞中に含まれている．フェノール・クロロホルム法による抽出では，DNAと水の親和性を利用して分離する．最初にフェノール・クロロホルムにより蛋白質を沈殿し変性させ，次に水層に溶解した核酸を3M酢酸ナトリウム溶液とエタノールで析出させる．

③ シリカメンブレンなどのカラムに核酸を吸着させる方法を用いたキットも汎用されている．

2 RNA抽出

① RNAは，DNA同様，蛋白質，脂質とともに細胞中に含まれている．汗や唾液などに存在するRNA分解酵素により容易に分解されるため，作業中は混入しないよう注意が必要である．

② RNAの抽出法は，AGPC(acid guanidinium thiocyanate-phenol-chloroform)法が一般的である．フェノール・クロロホルムにより蛋白質を沈殿し変性させ，水層に溶解した核酸をアルコールで析出させる．DNA抽出との違いは，酸性フェノールを用いて水層にDNAを残さない点である．

③ DNA抽出同様，シリカメンブレンによるスピンカラム法を用いたキット，自動核酸抽出法などがある．

D 遺伝子増幅

学習の目標
- PCR法
- トラブルシューティング
- RT-PCR法
- Real-time PCR法
- その他の核酸増幅法

PCR (polymerase chain reaction) 法

1. PCR法とは
① DNAを対象とする．
② 検体のなかの細胞，細菌やウイルスの検出に使用される．
③ 増幅するDNA領域の両端に相補的なプライマーを設定し，耐熱性DNAポリメラーゼを用いて，サーマルサイクラーによる熱変性，アニーリング，伸長反応が行われるよう温度変化を繰り返すことで標的DNAを増幅させる方法である．

2. PCR法の原理
① 熱変性：鋳型の二本鎖DNAを94℃の熱変性により一本鎖にする．
② アニーリング：反応液を55℃（至適温度はプライマーによる）に下げることで，鋳型DNAの増幅領域にプライマーを結合させる．
③ 伸長反応：さらに反応液を72℃に上げると，反応液中のデオキシヌクレオシド三リン酸と*Taq*ポリメラーゼにより，結合プライマー部位から二本鎖の相補的塩基配列が伸長する．
④ 増幅：ふたたび熱変性に戻り，反応を繰り返す．

3. PCR法トラブルシューティング
PCR法の失敗には，いくつかの原因が考えられる．
① 陽性コントロールでもPCR産物が得られない：増幅用酵素の失活，PCR装置の不良，マスターミックスの調製不良などが考えられる．それらミスがない場合は，PCRサイクルを増やす．アニーリング温度を下げる．Mg濃度を上げるなどを試みる．
② 陽性となるべき検体でPCR産物が得られない：検体のDNAの濃度を高める．再度抽出して純度を高める．

③陰性コントロールでもPCR産物がみられる：増幅試薬のコンタミネーション，エアロゾールによる陰性コントロールのコンタミネーションなどが考えられる．

④非特異的なPCR産物が生じる：検体DNA，酵素濃度，プライマー濃度を下げる．サイクル数を減らす．アニーリング温度を上げる．Mg濃度を下げる．ホットスタートPCRを行うなどを試みる．

RT-PCR（reverse transcriptase-polymerase chain reaction）法

①RNAを対象とする．
②造血器腫瘍などで形成される融合遺伝子の検出に使用される．慢性骨髄性白血病の*BCR-ABL*融合遺伝子など．
③逆転写酵素を用いて標的RNA遺伝子を鋳型としたDNAを合成し，RNAを相補的DNA（complementary DNA；cDNA）に変換した後，これを鋳型としてPCRを行う方法である．

その他の核酸増幅法

1．LAMP（loop-mediated isothermal amplification）法

①LAMP法は栄研化学が開発した方法で，標的遺伝子の6つの領域に対する4種類のプライマー，鎖置換活性をもつDNAポリメラーゼ，dNTP，反応バッファーにDNA，RNAを混合して65℃（一定温度）1時間保温することで増幅反応が進む．ピロリン酸マグネシウムの白濁や蛍光を目視で判定したり，濁度測定装置を用いてリアルタイムに測定することができる．

②4種類のプライマーにより増幅効率が高く，等温・短時間で増幅ができる（図2-1）．

※詳しい原理は栄研化学株式会社ホームページ（http://loopamp.eiken.co.jp/lamp/）を参照．

2．TMA（transcription-medicated amplification）法

①2種類のプライマーとT7RNAポリメラーゼと転写酵素を使用し，等温でRNAを増幅する方法である．
②標的とするRNAにT7プロモータープライマーをハイブリダイ

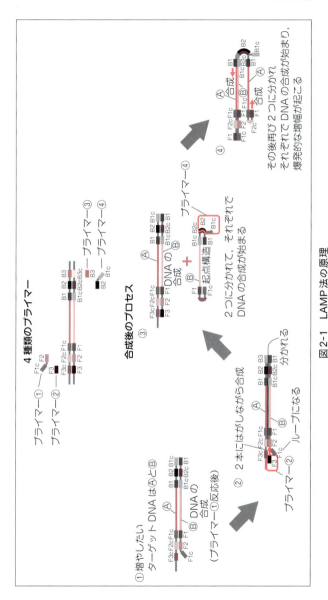

図 2-1　LAMP 法の原理

(日本医療機器産業連合会ホームページより転載　http://www.jfmda.gr.jp/devicekikaku/topix/09/page_02.html　2018 年 11 月 15 日閲覧)

ゼーション*し，逆転写酵素によりRNA-cDNAを合成し，逆転写酵素のもつRNase H活性によりRNAは分解され，一本鎖cDNAとなる．これに2つ目のプライマーが結合し，逆転写酵素のDNAポリメラーゼ活性によりT7プロモーター配列をもつ二本鎖DNAが合成される．このDNAからRNAポリメラーゼの転写反応によりRNAが合成される．

〈用語解説〉
* **ハイブリダイゼーション**：一本鎖のプローブDNAと相補的な塩基配列をもつメンブレン上の標的一本鎖DNA断片が結合すること．

3．その他

TRC（transcription reverse transcription concerted reaction）法，NASBA（nucleic acid sequence based amplification）法，ICAN（isothermal and chimeric primer-initiated amplification of nucleic acids）法，LCR（ligase chain reaction）法，分岐DNAプローブ（branched DNA probe；bDNA）法などがある．

E 解析法

学習の目標
- □ サザンブロット法
- □ ノザンブロット法
- □ fluorescence *in situ* hybridization（FISH）法
- □ DNAマイクロアレイ法
- □ シークエンス解析法
- □ マイクロサテライト法
- □ Real-time PCR法
- □ がん遺伝子パネル検査
- □ その他の解析法（デジタルPCR法）

サザンブロット法

1．サザンブロット法とは
① サザンブロット法は，DNAを対象とする．
② 抽出したDNAに制限酵素を作用させ，種々の長さのDNA断片の集合体を作製する．これをアガロースゲル電気泳動すると各断片が長さに応じて分離される．このDNA断片をメンブレンに転写し，正常の検体と比較することで異常を検出する方法である．

2．サザンブロット法のトラブルシューティング
① まったくバンドがみられない場合：新しいフィルムを用いて，現像をやり直す．標識抗体，発光基質液，現像液などの失活が疑われる．
② バックグランドは認められるもバンドがまったく認められない場合：プローブ標識やハイブリダイゼーションの条件が不良．
③ バックグラウンドが全体に黒く，斑点が多い場合：ハイブリダイゼーション後の洗浄液量や時間を増やす，標識プローブ量を減らすなどを行う．

ノザンブロット法

① ノザンブロット法は，RNAを対象とする．
② 検体から抽出したRNAをアガロースゲル電気泳動し，メンブレ

ンに転写して，mRNA発現の有無，相対的発現量の多寡，mRNAのサイズを解析する．

fluorescence *in situ* hybridization (FISH)法

① FISH法は，分子遺伝学的手法を細胞遺伝学の領域に応用した方法である．すなわち形態学的に遺伝子の異常を観察できる方法で，一本鎖とした標識プローブを染色体や細胞核上の相補的部位とハイブリダイゼーションして蛍光シグナルの有無で，染色体の数的異常や構造異常を検出する．
② 間期核DNAも観察できる．

DNAマイクロアレイ法

① DNAマイクロアレイ法は，プラスチックやガラス上に一本鎖のDNA断片プローブを配列し，検体サンプルのDNAとハイブリダイゼーションして蛍光強度を調べることにより，染色体DNA領域を網羅的に検査する方法である．

シークエンス解析法

① シークエンス解析法は，変異を含む領域をPCR法で増幅した後，増幅した領域の塩基配列を直接決定し塩基配列の異常や特定領域における種特異的配列の検出を行うことで，微生物の同定やがん遺伝子の変異を検出する．
② ダイターミネーターを用いたジデオキシ法による直接塩基配列法が多く用いられている（p.57コラムも参照）．

マイクロサテライト法

① マイクロサテライト法は，ゲノム上に散在する2〜数塩基の繰り返し配列を検出する．
② 造血幹細胞移植後のキメリズム解析や特定遺伝子のリピート数の異常による遺伝性疾患の診断などに用いられる．

③遺伝子の翻訳領域でリピート数が異常に多いと，その増幅産物である蛋白に異常をきたし，遺伝性疾患の原因となることがある．

Real-time PCR法

①Real-time PCR法は，PCRの増幅過程をリアルタイムに検出することでDNAまたはRNAを定量する方法である．
②慢性骨髄性白血病や慢性ウイルス性肝炎の治療効果判定に使用される．
③サーマルサイクラーと蛍光検出器を一体化した装置（図2-2）を用いて，PCRのサイクルごとに増幅産物を反映して増加する蛍光シグナルを測定する．蛍光の検出方法には，DNA結合色素法，ハイブリダイゼーションプローブ法，TaqManプローブ法がある．
④RNAの場合は検体からRNAを抽出し，逆転写反応によりcDNAを合成して，Real-time PCRを行う．
⑤DNAもしくはcDNA発現量が既知のスタンダード試料の希釈系列を作製し，Real-time PCRを行うと，標的DNA量が多い順に等間隔で並んだ増幅曲線が得られて検量線を作成できる．これを用いて標的DNAの初期DNA濃度を求める（図2-3）．

図2-2　Real-time PCR法の装置

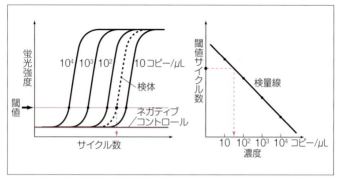

図2-3 Real-time PCR法の定量の原理
蛍光強度の推移のグラフ（左）と検量線（右）．
(東田修二：第3章 遺伝子の検査法．「最新臨床検査学講座 遺伝子・染色体検査学」医歯薬出版，2015, p110)

がん遺伝子パネル検査

① がん遺伝子パネル検査は，次世代シークエンサー（NGS）を用いて，組織や血液のがん細胞の遺伝子変異を調べる．
② がんの原因となる遺伝子変異が見つかった場合には，その遺伝子変異に対応する薬剤を選択できる場合がある．
③ 令和3（2021）年度8月より，血液による遺伝子パネル検査（リキッドバイオプシー）が保険適用となり，また組織検査が困難な固形がんでも検査が可能となっている．

その他の解析法（デジタルPCR法）

① ddPCR（ドロップレットデジタルPCR）は，低発現遺伝子の発現定量，微小なコピー数定量や変異解析など極めてわずかな差異を検出でき，超高感度に絶対定量解析が可能な定量PCRである．
② ナノテクノロジーを用いた微細な仕切りの中にDNAサンプルを分配しPCR反応を行う．
③ PCR反応させる仕切りとして20,000個の分画が可能である．
④ 各仕切りは1分子単位の分画が可能であり，PCR反応後，各分画ごとに，目的の分子を含むか（シグナルが陽性：デジタル的に

【1】),含まないか(シグナルが陰性:デジタル的に【0】)をシグナルの有無で計測し,それぞれの分画のシグナル数を,ターゲットのコピー数として換算し,絶対定量する新しい技術である.

F 倫理

> **学習の目標**
> □ インフォームド・コンセント
> □ 遺伝倫理
> □ 遺伝情報管理

1 インフォームド・コンセント

① 遺伝学的検査の実施では,事前に,担当医師や遺伝専門医,遺伝カウンセラーなどが患者から当該検査に関するインフォームド・コンセントを得る必要がある.

② この場合のインフォームド・コンセントとは,自己決定できる能力をもつ成人の場合,遺伝学的検査に先立って,遺伝学的カウンセリングを通じて適正な説明がなされ,自由意思による同意を得ることである.同意が得られなければ検査を行うべきではない.

③ 自己決定能力をもたない者では,親権者もしくは法的後見人から代諾を得る.

④ 医療従事者は,結果のみならず検査を行ったこと自体に対しても守秘義務がある.

2 遺伝倫理

① 遺伝倫理における基本的指針は,日本医学会など関連10学会から2011年2月に「医療における遺伝学的検査・診断に関するガイドライン」が発表されている.

② 本ガイドラインでは,遺伝子関連検査における個人情報を扱ううえで,とくに配慮が必要な遺伝学的検査とそれを用いて行われる診断について注意を喚起している.

3 遺伝情報管理

① 遺伝学的検査で得られるDNA,RNA,染色体,蛋白質,代謝産

物などの医療情報や家系情報などの情報を厳格に管理する.
②遺伝情報は本人の承諾なく開示してはならない. たとえ医療従事者においても, 第三者が不必要なアクセスを行ってはならない.

 消費者直結型(direct to consumer；DTC)遺伝学的検査
　医療機関を介さず, 主に唾液を郵送して疾患の発症リスクや体質などの遺伝的傾向を調べる検査. 遺伝要因と環境要因の相互作用により発症する多因子疾患を対象としている. 患者と健常者との間で統計学的に有意となる一塩基多型(SNP)を見出し, 平均的な集団と特定のSNPタイプの集団を比較して, 発症リスクを算出する. ゲノムワイド関連解析(Genome-Wide Association Study)という研究方法による.

G 検査機器

学習の目標
- 核酸増幅装置
- ブロッティング装置
- シークエンサー
- トランスイルミネーター
- 電気泳動装置
- その他

1 核酸増幅装置

① PCR法を行うための核酸増幅装置は、温度の上昇と降下と、その時間をプログラムに従って行うヒートブロック装置である。

② 核酸増幅装置（図2-4）には、温度と時間を制御する通常のタイプと、DNA増幅装置と分光蛍光光度計を一体化したReal-time PCR装置がある。

③ Real-time PCR装置は、PCR増幅産物量をサイクルごとにリアルタイムに検出する。検体はガラス製キャピラリーに入れて、加熱、冷却した空気により行うものが主流である。

2 ブロッティング装置

① 高分子のDNAを短時間で転写したい場合や蛋白の転写を行うために用いる装置である。

② ブロッティングは、従来ゲルに泳動した核酸（DNA, RNA）や蛋白をメンブレンに転写する操作で、濾紙の毛細管現象を利用した方法である。

③ ブロッティング装置は、ゲルとメンブレンを挟んで電気的に転写する装置である。

3 シークエンサー

① シークエンサー（図2-5）は、DNAの塩基配列を読み取る装置で、4種類の塩基を異なる蛍光色素で標識したDNA断片をキャピラ

図2-4　核酸増幅装置　　　図2-5　シークエンサー

リーで電気泳動し，レーザー光を当て蛍光を検出して塩基配列に変換する装置である．

②近年，従来型のシークエンサーと異なる解析原理による<u>次世代型シークエンサー</u>が開発されている．塩基配列を並列化して解析することで，膨大な塩基配列情報を短時間で得られ，ヒトの全ゲノム，全エクソン領域の塩基配列を決定できる装置が用いられている．

次世代型シークエンサー（next generation sequencer；NGS）

次世代型シークエンサーは，ランダムに切断された数千万～数億のDNA断片の塩基配列を同時並行的に決定することができる．次世代型とは，サンガー法を第1世代とした対比的な用語のため，最近では大規模並列シークエンシング（massively parallel DNA sequencing）法とよばれる場合もある．ヒトの全ゲノム解析が可能となり，いままでみつからなかった変異がわかるようになった．

最新の第2世代解析機器の場合，最大6日間で約1兆個の塩基配列を解読することができる．

4 トランスイルミネーター

①トランスイルミネーターは,エチジウムブロマイド染色したアガロースゲルに紫外線を照射して,DNAやRNAのバンドを観察する装置である.
②増幅産物のゲル電気泳動を観察する際,直接目視すると紫外線で目や皮膚に障害をきたすため,手袋やフェイスマスク,ゴーグルを用いて観察する.
③紫外線照射が長いとゲル内のDNAに損傷を与えるため,バンドが淡くなる.

5 電気泳動装置

①電気泳動装置は,増幅した核酸をアガロースゲルやポリアクリルアミド,毛細管(キャピラリー)のなかで電気泳動する装置である.
②低分子のDNAをアガロースゲル電気泳動に用いるサブマリン型と,中程度のDNAを泳動するポリアクリルアミドゲル電気泳動に用いる垂直型スラブ型電気泳動装置,巨大なDNA断片を泳動するパルスフィールド電気泳動装置が用いられている.

6 その他

①細胞を集める遠心機
②核酸用高速遠心機
③器具の滅菌や感染性検体の処理に用いられるオートクレーブ
④純水製造装置
　などが用いられる.

セルフ・チェック

A 次の文章で正しいものに○，誤っているものに×をつけよ．

	○	×
1. 抗酸菌の遺伝子検査では結核菌や非結核性抗酸菌の同定が行われる．	□	□
2. 非結核性抗酸菌検査では定量検査が主流である．	□	□
3. 感染症の遺伝子検査では薬剤耐性遺伝子の検査が行われる．	□	□
4. C型肝炎ウイルス検査ではReal-time PCR法によるRNA量の定量検査が行われる．	□	□
5. C型肝炎ウイルス検査での遺伝子型は治療予後の推定に用いられる．	□	□
6. 白血病遺伝子 *BCR-ABL1* 検査は体細胞遺伝子検査である．	□	□
7. 家族性大腸ポリポーシス遺伝子変異の検査は生殖細胞系列遺伝子検査である．	□	□
8. 肺がんにおける *UGT1A1* の検査は体細胞遺伝子検査である．	□	□
9. 親子鑑定は体細胞遺伝子検査で行う．	□	□
10. 薬物代謝の個体差鑑別検査は生殖細胞系列遺伝子検査である．	□	□

A 1-○，2-×（定性検査），3-○，4-○，5-○，6-○，7-×（がん遺伝子検査は体細胞遺伝子検査），8-×（生殖細胞遺伝子検査で，副作用予測に用いられる），9-○，10-○

11. PCR法は，熱変性，アニーリング，伸長反応のサイクルからなる．
12. RT-PCR法はRNA情報を増幅する．
13. アニーリングの至適温度は融解温度（Tm値）より5℃程度低い温度で設定する．
14. 融解温度（Tm値）は30〜40℃にする．
15. プライマー設計では，3'側にATが多くならないようにする．
16. サザンブロット法においてバックグランドが黒い場合は，洗浄時間を長くする．
17. サザンブロット法において，特異バンドが不明瞭な場合は，プレハイブリダイゼーションを短くする．
18. サザンブロット法において，非特異的バンドが出現する場合は，標識プローブの量を少なくするとよい．
19. サザンブロット法において，非特異的バンドが出現する場合は，ハイブリダイゼーションの温度を低くするとよい．
20. サザンブロット法において，SSC濃度が高いほど非特異的バンドが現れにくい．
21. 間期核FISH法では細胞培養は不要である．

11-○，12-○，13-○，14-×（55〜65℃），15-○，16-○，17-×（プレハイブリダイゼーションを長めに行う），18-○，19-×（ハイブリダイゼーション温度が高いほど特異性が高い），20-×（SSC濃度は高いほどプローブの感度は上がるが，非特異的バンドが現れやすい），21-○

22. FISH法における顕微鏡検査では蛍光顕微鏡を用いる．
23. FISH法における組織標本では，細胞の切断のされ方によってシグナルが観察できない．
24. 間期核FISH法は，全染色体核型解析の適応とはならない．
25. 間期核FISH法では，染色体数の異常，構造異常，モザイク，転座が確認できる．
26. PCR法で非特異的バンドを検出したときはアニーリングの温度を下げる．
27. LAMP法は核酸増幅に温度サイクリング反応を用いる．
28. LCR法は核酸増幅に温度サイクリング反応を用いる．
29. Real-time PCRの増幅曲線グラフのY軸は蛍光強度を示している．
30. 逆転写酵素はRNAをcDNAに変換する．
31. 感染性病原体の取扱いはクリーンベンチ内で行う．
32. 安全キャビネットは有害物質の拡散防止に用いる．
33. 炭酸ガス培養装置は細胞培養に用いる．
34. PFGEは分子量の大きな核酸の電気泳動に用いられる．
35. 分光光度計は核酸の濃度を測定するのに用いられる．

22-○，23-○，24-○，25-○，26-×（アニーリングの温度を上げる），27-×（一定温度で増幅させる），28-○，29-○，30-○，31-×（感染性病原体の取扱いは安全キャビネット，細胞培養はクリーンベンチを用いる），32-○，33-○，34-○，35-○

B

1. 検体の取り扱いについて正しいのはどれか．2つ選べ．
   - □ ① ヘモグロビンはPCRの増幅反応を阻害する．
   - □ ② 組織・生検材料の長期保存は4℃で冷蔵する．
   - □ ③ 細胞の凍結融解を繰り返すとRNAの検出効率は良くなる．
   - □ ④ 末梢血を用いてDNAの抽出を行う場合の抗凝固剤はヘパリンを用いる．
   - □ ⑤ 粘性の高い喀痰の前処理は，N-アセチル-L-システイン水酸化ナトリウムを用いる．

2. 核酸抽出について誤っているのはどれか．
   - □ ① DNAの抽出にはヌクレアーゼフリーのチップを用いる．
   - □ ② RNAの抽出は酸性フェノールを用いてDNAや蛋白質を有機層に移す．
   - □ ③ ゲノムDNAは頻回のピペッティングにより機械的に切断される．
   - □ ④ RNAの溶解にDEPC（ジエチルピロカーボネート）処理水を用いる．
   - □ ⑤ フェノール・クロロホルムは核酸溶液の安定保存に用いられる．

3. DNA抽出で用いるのはどれか．2つ選べ．
   - □ ① メタノール
   - □ ② フェノール
   - □ ③ 3M酢酸ナトリウム
   - □ ④ エチジウムブロマイド
   - □ ⑤ アルカリホスファターゼ

B 1-①と⑤（②：長期保存の場合，-80℃で凍結保存する．③：細胞の凍結融解を繰り返すと，ヌクレアーゼにより核酸が分解される．④：ヘパリンはPCR反応を阻害するので，抗凝固剤はEDTAを用いる），2-⑤（⑤：フェノール・クロロホルムは，蛋白質を取り除き核酸抽出するために用いる），3-②と③（①：エタノール．④：エチジウムブロマイドはアガロースゲルを染めるために用いる．⑤：アルカリホスファターゼは化学発光に用いる）

4．核酸の純度を判定する際に用いられる吸光度の波長［nm］はどれか．2つ選べ．
- ① 240
- ② 250
- ③ 260
- ④ 270
- ⑤ 280

5．PCR反応過程に含まれるのはどれか．2つ選べ．
- ① クエンチング
- ② アニーリング
- ③ シークエンス
- ④ エクステンション
- ⑤ ハイブリダイゼーション

6．PCR法において核酸増幅産物の特異性を高める方法として正しいのはどれか．
- ① サイクル数を増やす．
- ② プライマー濃度を下げる．
- ③ アニーリング温度を下げる．
- ④ マグネシウム濃度を上げる．
- ⑤ DNAポリメラーゼ濃度を上げる．

7．RT-PCR法が診断に有用なのはどれか．
- ① Turner症候群
- ② DiGeorge症候群
- ③ 真性赤血球増加症
- ④ 慢性骨髄性白血病
- ⑤ Prader-Willi症候群

4-③と⑤，5-②と④（①：クエンチングはプローブ法で蛍光発光が消光すること，③：シークエンスはDNAを構成する塩基配列が決定すること，⑤：ハイブリダイゼーションは一本鎖のプローブDNAと相補的な塩基配列をもつメンブレン上の標的一本鎖DNA断片が結合すること），6-②，7-④（④：RT-PCR法による*BCR-ABL*融合遺伝子mRNAの検出，①，②，⑤：染色体検査，③：Real-time PCR法による*JAK2*遺伝子検査）

8. プライマーとプローブの両方を用いるのはどれか．
- ① FISH法
- ② LAMP法
- ③ ノザンブロット法
- ④ Real-time PCR法
- ⑤ シークエンス解析〈ジデオキシ法〉

9. Real-time PCR法の原理で正しいのはどれか．2つ選べ．
- ① TMA法
- ② FISH法
- ③ LAMP法
- ④ DNA結合色素法
- ⑤ TaqManプローブ法

10. DNAシークエンス解析で用いるのはどれか．2つ選べ．
- ① プライマー
- ② DNAプローブ
- ③ マイクロアレイ
- ④ リバーストランスクリプターゼ
- ⑤ デオキシヌクレオシド三リン酸

8-④，9-④と⑤（①：TMA法はrRNAを標的とした核酸増幅法で，核酸増幅後に特異的化学発光物質標識DNAプローブを用いたハイブリゼーション法により増幅産物を検出する．②：FISH法は，染色体や間期核細胞上で，サテライトプローブ，領域特異的プローブやペインティングプローブなどをハイブリダイゼーションする方法．③：LAMP法は，温度サイクリング法でなく，一定温度で核酸増幅させる方法），10-①と⑤（②：DNAプローブは，Real-time PCR法やFISH法で用いる．③：マイクロアレイは，スライドガラスなどの基盤上に膨大な種類のDNAプローブを高密度に配列してあるもので，蛍光標識した患者DNAやcDNAをハイブリダイゼーションさせる方法．④：リバーストランスクリプターゼは，RNAを逆転写してcDNAを合成するために用いる）

11. 遺伝子検査法について正しいのはどれか．2つ選べ．

- ① サザンブロット法はRNAを対象とする．
- ② 間期核FISH法は染色体分裂像を対象とする．
- ③ DNAマイクロアレイ法はSNP解析に用いられる．
- ④ シークエンス解析は遺伝子配列の解析に用いられる．
- ⑤ マイクロサテライト解析法はキメリズム解析に用いられる．

12. 倫理について正しいのはどれか．2つ選べ．

- ① ユネスコ国際宣言はヒト遺伝情報に関する国際宣言である．
- ② ヒトゲノム・遺伝子解析研究に関する倫理指針は遺伝子検査を対象としている．
- ③ カルタヘナ議定書は遺伝子組み換え生物等の使用などを規定したものである．
- ④ 遺伝子診断でインフォームド・コンセントが得られれば，遺伝カウンセリングは不要である．
- ⑤ 遺伝子診断に用いられた残余検体は，医学発展のためなら別の検査に用いてもよい．

13. アガロース電気泳動について誤っているのはどれか．

- ① 分子量が小さいものほど速く移動する．
- ② DNA増幅産物は陽極から陰極に流れる．
- ③ 数百〜数キロbpのDNA断片の分離に適している．
- ④ DNA増幅産物はエチジウムブロマイドで染色する．
- ⑤ ゲル濃度が高いほど短いDNA断片の分離に適している．

11-④と⑤（①：サザンブロットはDNAを対象としている．②：間期核FISHは静止期の細胞を対象とする．③：SNP解析はPCR法を用いる），12-①と③（②：ヒトゲノム・遺伝子解析研究は遺伝学的検査（生殖細胞系列遺伝学的検査）．④：いったんインフォームド・コンセントが得られても，必要に応じてカウンセリングを行う．⑤：残余検体は勝手に別の検査に用いてはならない），13-②（②：電気泳動産物は陰極から陽極に流れる）

3 染色体の基礎

A 染色体の構造と機能

> **学習の目標**
> - □ 染色体の構造
> - □ 常染色体
> - □ 性染色体
> - □ 減数分裂
> - □ 体細胞分裂
> - □ 細胞周期

ヒトの配偶子（卵子・精子）がもつ染色体は23本（n）で，受精により46本（2n）の染色体をもつ個体になる．したがって，1対の染色体は両親からそれぞれ受け継いだものである．

染色体の構造

①核内のDNAはヒストンなどの蛋白質と結合したクロマチンとして存在する（p.11，図1-4参照）．間期には伸展した状態であるが，分裂期には凝縮して染色体として観察できる．

②G染色法による染色体の基本構造を**図3-1**に示す．1本の染色体

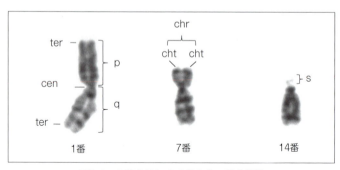

図3-1　G染色法による染色体の基本構造

ter：染色体末端（テロメア），cen：セントロメア，p：短腕，q：長腕，chr：染色体，cht：染色分体，s：付随体（サテライト）．
＊略号は国際命名法（ISCN）による表記法

(chr)は2本の染色分体(cht)がセントロメアで繋ぎ留められ，細胞分裂時には紡錘糸(微小管)が結合する．13～15番，21, 22番染色体はサテライト(付随体)をもつ．これ以外の染色体はセントロメアを境に短腕，長腕からなる．
③染色体の末端にはテロメアという5'-TTAGGG-3'の繰り返し配列があり，ゲノムの安定化に寄与する．また，テロメアは細胞分裂のたびごとに短小化することが知られている．

〈用語解説〉
* テロメラーゼ：テロメアを伸長する酵素．体細胞に活性は認められないが，生殖細胞，がん細胞にその活性が認められている．

2 常染色体
①1～22番の染色体で，ヒトの2倍体細胞では22対，44本からなる．
②男女に共通してみられる．

3 性染色体
①X染色体とY染色体がある．
②Y染色体をもつ場合(XY型)は男性生殖器が形成され，もたない場合(XX型)は女性生殖器が形成される．
③女性の2本のX染色体のうち父方，母方を問わず片方は不活性化*しており，Xクロマチン(Barr小体)や好中球のドラムスティックとして観察される．

〈用語解説〉
* X染色体の不活性化：X染色体の数は男女間で異なるため，女性のX染色体のうち片方は不活性化され，男女間の遺伝子産物量を等しくしようとする機構．仮説の提唱者Lyon博士の名にちなんで，ライオニゼーションともよばれる．

減数分裂

①配偶子（卵子・精子）が形成される際に行われる．
②連続して起こる2回の細胞分裂によって，染色体数は23本に半減する．
③この減数分裂を通じて，1個の卵原細胞から1個の卵子が形成され，2個の極体は消失する．1個の精原細胞からは4個の精子がつくられる．

体細胞分裂

①身体を構成する細胞が増殖する際にみられる．
②間期に複製された2本の染色分体は分裂期に入ると，分離して2個の娘細胞にそれぞれ均等に分配される．これにより体細胞は一定の数が維持されている．

細胞周期

1個の細胞がDNAの複製を経て2個の細胞に分裂する過程（図3-2）．
①G_1期［Gap_1］：DNA合成準備期（2C）
②S期［Synthetic phase］：DNA合成期（2Cから4Cへ）
③G_2期［Gap_2］：分裂準備期（4C）

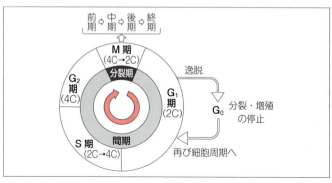

図3-2 細胞周期

④M期 [M phase]：分裂期（4Cから2Cへ）
①〜③までを間期という．（　）内のCはDNA量を表す．

B 分類と命名法

学習の目標
- [ ] 体細胞
- [ ] 生殖細胞
- [ ] 核型

体細胞
① 身体を構成する細胞のこと．分化して，それぞれの臓器，組織に特徴的な機能をもつ．
② **体細胞分裂**によって細胞数が維持される．

生殖細胞
① 受精卵（胚）の形成にかかわる細胞で，始原生殖細胞，卵原細胞，卵母細胞，卵子，精原細胞，精母細胞，精子が相当する．
② **減数分裂**を経て，配偶子（卵子，精子）が形成される．

核型
染色体の数や形態に基づいた構成を国際命名規約（ISCN）に従って表記したもの．

1．Giemsa 単染色によるヒト染色体の分類
46本の染色体は形態と大きさ，セントロメアの位置でA～G群に分類される（**図3-3**）．

2．分染法による核型分析
分染法を用いることで，個々の染色体の識別が可能となり，数的異常や構造異常の切断点が明らかになる．G染色法は分染法のなかで標準的な方法として日常検査で実施されている（**図3-4**）．

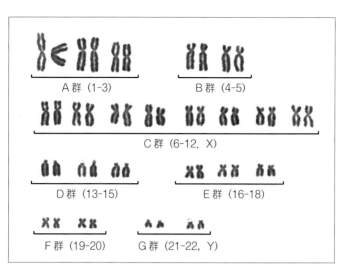

図3-3 Giemsa単染色による健常女性の染色体

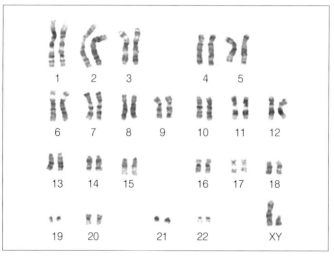

図3-4 分染法(G染色法)による健常男性の染色体

C ヒトの染色体地図

学習の目標
- [ ] 遺伝子マッピング
- [ ] 核型進化

遺伝子マッピング

①特定の遺伝子が染色体上のどの位置に局在するのかを調べる研究方法のことで，配列順序，遺伝子座間の距離を図式化して表したものを，染色体地図または遺伝子地図とよぶ．

②細胞雑種法，連鎖解析や染色体構造異常症例を利用する方法などがあり，fluorescence in situ hybridization（FISH）法は遺伝子座を決定する方法として活用されてきた．

③2003年にヒトゲノムプロジェクトが完了し，全ゲノムの塩基配列が明らかとなり，現在では多くの遺伝情報がwebサイトで公開されている．米国立生物工学情報センター（http://www.ncbi.nlm.nih.gov/），カリフォルニア大学サンタクルーズ校（http://genome.ucsc.edu/）が公開している総合データベースなどがある．

核型進化

①生物種ごとの染色体構成や染色体地図を比較して，核型進化の詳細を分析することにより，生物の進化の過程や起源を類推することができる．

②また，腫瘍と染色体異常の関連を研究する学問領域では，腫瘍の原因となった染色体異常に，さらに異常が加わったいくつかの腫瘍細胞が出現することがある．そのなかで，増殖に有利な染色体構成となった腫瘍細胞が選択的に増殖していくことを核型進化とよぶことがある．慢性骨髄性白血病の急性転化時にはDouble Ph（Ph染色体が2個出現），＋8，i（17q）などが核型進化による付加的異常として観察され，治療抵抗性を示すため疾患の終末像ともなる．

D 染色体異常と疾患

学習の目標
- □ 変異原
- □ 染色体異常の種類
- □ 染色体異常と疾患

1 変異原

① 遺伝子や染色体に変異を起こさせる物質または作用を変異原という.

② 化学的にはニトロソ化合物, ブロモデオキシウリジン, ベンゾピレン, マイトマイシンC, 活性酸素など, 物理的には紫外線, 電離放射線などが知られている.

2 染色体異常の種類

1. 数的異常

(1) 異数性

異数性には, 相同染色体の片方が欠失して1本になったモノソミー, 1本増加して3本になったトリソミー, さらに2本増加して4本になったテトラソミーなどがある.

(2) 倍数性

① 1倍体(配偶子がもつnの染色体)あたり23本の染色体が整数倍で増加した場合をいう.

② 健常人の体細胞では46本(2n)の染色体構成をもつが, 69本(3n)をもつ場合を3倍体, 92本(4n)をもつ場合を4倍体という.

(3) 片親性ダイソミー

① 体細胞における2本の相同染色体は両親から1本ずつを受け継いだものであるが, 2本の相同染色体のどちらも片方の親由来である場合を片親性ダイソミーという.

② どちらも父親由来である場合を父性ダイソミー, どちらも母親由来である場合を母性ダイソミーとよぶ.

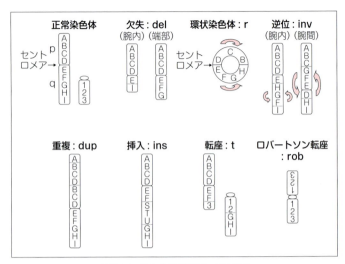

図3-5 染色体構造異常の模式図

2. 構造異常

①構造異常の検出は，主にG染色法を用いて個々の染色体を識別しながら行う．

②重複や欠失など，染色体バンドの増減はおよそ10 Mb（1,000万塩基対）以上でないと顕微鏡下でとらえることはできない．

③図3-5に主な構造異常を示す．

<用語解説>

*ゲノムインプリンティング（ゲノム刷り込み現象）：性差により遺伝子発現が異なる現象．Prader-Willi症候群は父由来15番染色体の責任遺伝子領域の欠失，母親ダイソミーなどにより生じる．健常人で，この領域は父方（男性）のみが遺伝子発現しており，母方（女性）はゲノムインプリンティングを受けて発現していない．同様の染色体領域において，母由来15番染色体の責任遺伝子領域の欠失，父親ダイソミーなどにより生じるのはAngelman症候群である．

表3-1 主な先天性染色体異常

	疾患名	染色体異常
常染色体異常	Down症候群	21トリソミー
	Patau症候群	13トリソミー
	Edwards症候群	18トリソミー
	4pモノソミー症候群	4番短腕部分欠失
	5pモノソミー症候群	5番短腕部分欠失
性染色体異常	Klinefelter症候群	47,XXY
	Turner症候群	45,X

表3-2 主な染色体微細欠失症候群

疾患名	染色体領域	責任遺伝子
Prader-Willi症候群*	15q11.2 父由来	SNRPN
Angelman症候群*	15q11.2 母由来	UBE3A
Williams症候群	7q11.23	ELN
Sotos症候群	5q35.3	NSD1
Smith-Magenis症候群	17p11.2	RAI1
22q11.2欠失症候群	22q11.2	TBX1

*発症機序はp.74「ゲノムインプリンティング」を参照.

3 染色体異常と疾患

1. 先天性染色体異常
① 受精にかかわる精子や卵子，胚発生初期の受精卵に染色体異常があると，先天的に染色体異常をもつ個体が生じる．
② 主な先天性染色体異常を表3-1に示す．

2. 染色体微細欠失・重複症候群
① 染色体の微細な欠失や重複により生じる疾患．
② 責任遺伝子を中心に，隣接する遺伝子領域を巻き込む場合があり，隣接遺伝子症候群ともよばれる．
③ 分染法による染色体検査では検出が困難で，FISH法やマイクロアレイ染色体検査が診断に役立つ．
④ 主な染色体微細欠失症候群を表3-2にまとめた．

3. 染色体不安定症候群
① 染色体の切断やギャップなどの構造異常が多発する疾患で，臨床

表3-3 白血病・悪性リンパ腫にみられる染色体・遺伝子異常

病　型	染色体異常	遺伝子異常
慢性骨髄性白血病(CML) 混合表現型急性白血病	t(9;22)(q34;q11)	*BCR-ABL1*
急性骨髄性白血病(AML)	t(8;21)(q22;q22) t(15;17)(q22;q21) inv(16)(p13q22) t(9;11)(p12;q23) t(6;9)(p22;q34)	*RUNX1-RUNX1T1* *PML-RARA* *CBFB-MYH11* *MLLT3-KMT2A* *DEK-NUP214*
Bリンパ芽球性白血病/リンパ腫 (B-ALL/LBL)	t(9;22)(q34;q11) t(12;21)(p13;q22)	*BCR-ABL1* *ETV6-RUNX1*
濾胞性リンパ腫	t(14;18)(q32;q21)	*IGH-BCL2*
びまん性大細胞型B細胞リンパ腫	t(3;14)(q27;q34)	*IGH-BCL6*
マントル細胞リンパ腫	t(11;14)(q13;q32)	*IGH-CCND1*
MALTリンパ腫	t(11;18)(q22;q21)	*BIRC3-MALT1*
Burkittリンパ腫	t(8;14)(q24;q32)	*IGH-MYC*
ALK陽性未分化大細胞リンパ腫	t(2;5)(p23;q35)	*NPM1-ALK*

的に発育障害，高発がん性を症状とする．

②Fanconi貧血：DNAの修復機構に関連する遺伝子の異常が原因となり，マイトマイシンCの添加培養で高頻度の染色体脆弱性を認める．

③Bloom症候群：DNAヘリカーゼ*BLM*遺伝子の機能異常が原因で，姉妹染色分体交換が高頻度に認められる．

④毛細血管拡張性運動失調症：*ATM*遺伝子の異常により免疫不全を伴う．

⑤PCS/MVA症候群：*BUB1B*遺伝子の異常により，紡錘体チェックポイントにエラーが生じ，染色分体早期解離を認める．

4．造血器腫瘍と染色体・遺伝子異常

①造血器に生じた後天的な染色体・遺伝子異常は，白血病や悪性リンパ腫の原因になる．

②主な病型，染色体異常，遺伝子異常の関係を**表3-3**に示す．

セルフ・チェック

A 次の文章で正しいものに○，誤っているものに×をつけよ．

	○	×
1. 核膜が消失するのは細胞周期のS期である．	□	□
2. DNA量が増加するのは細胞周期のM期である．	□	□
3. 細胞分裂時，セントロメアに紡錘糸（微小管）が結合する．	□	□
4. テロメアには5'-TTAGGG-3'の繰り返し配列が存在する．	□	□
5. 男性のX染色体は不活性化している．	□	□
6. 女性の不活性化したX染色体は好中球のドラムスティックとして観察できる．	□	□
7. 配偶子（精子と卵子）は体細胞分裂によりつくられる．	□	□
8. 慢性骨髄性白血病では9;22転座が認められる．	□	□
9. 急性前骨髄球性白血病（FAB分類：M3）では15;17転座が認められる．	□	□
10. Burkittリンパ腫では14;18転座が認められる．	□	□

B

1．ヒトの減数分裂の接合期に生じる染色体の変化で正しいのはどれか．
- □ ① 染色体数が半減する．
- □ ② 相同染色体が対合する．
- □ ③ 凝縮し長い糸状に変化する．
- □ ④ 相同染色体間の交差が生じる．
- □ ⑤ キアズマが明瞭に観察される．

A 1-×（M期），2-×（S期），3-○，4-○，5-×（不活性化は女性の片方のX染色体），6-○，7-×（減数分裂），8-○，9-○，10-×（8;14転座を認める）
B 1-②

3 染色体の基礎

2．DNAの量的変化がみられるのはどれか．**2つ選べ**．
- ① G_0期
- ② G_1期
- ③ S期
- ④ G_2期
- ⑤ M期

3．染色体について正しいのはどれか．
- ① ヒトの常染色体は23対からなる．
- ② 体細胞の有糸分裂はM期に起こる．
- ③ テロメラーゼはテロメアを切断する．
- ④ テロメアは染色体の中央に位置する．
- ⑤ セントロメアは細胞分裂のたびごとに短小化する．

4．正しい組み合わせはどれか．**2つ選べ**．
- ① Down症候群 ──── 47,XXY
- ② Patau症候群 ──── 21トリソミー
- ③ Turner症候群 ──── 45,X
- ④ Edward症候群 ──── 18トリソミー
- ⑤ Klinefelter症候群 ──── 13トリソミー

5．正しい組合せはどれか．
- ① t(8;14)(q24;q32) ──── *BCR-ABL1*
- ② t(8;21)(q22;q22) ──── *RUNX1-RUNX1T1*
- ③ t(9;22)(q34;q11) ──── *PML-RARA*
- ④ t(14;18)(q32;q21) ──── *IGH-MYC*
- ⑤ t(15;17)(q22;q21) ──── *IGH-BCL2*

2-③と⑤，3-②（①：22対，③：テロメアを伸長する，④：染色体の末端，⑤：テロメアが短小化する），4-③と④（①：Down症候群—21トリソミー，②：Patau症候群—13トリソミー，⑤：Klinefelter症候群—47,XXY），5-②（①：t(8;14)(q24;q32)—*IGH-MYC*，③：t(9;22)(q34;q11)—*BCR-ABL1*，④：t(14;18)(q32;q21)—*IGH-BCL2*，⑤：t(15;17)(q22;q21)—*PML-RARA*）

4 染色体検査法

A 細胞培養法

学習の目標
- [ ] 培養準備
- [ ] 末梢血リンパ球培養
- [ ] 皮膚線維芽細胞培養
- [ ] 羊水細胞培養
- [ ] 絨毛細胞培養
- [ ] 骨髄細胞培養
- [ ] リンパ節細胞培養
- [ ] 固形腫瘍細胞培養
- [ ] 高精度分染用培養
- [ ] リンパ球細胞株の樹立

染色体検査(chromosome analysis)に必要な染色体は、細胞周期のM期(分裂期)に顕微鏡下で観察可能となる。検査材料は目的に応じて異なり、生きた細胞を培養することで細胞分裂像が得られる。

1 培養準備

①染色体検査では分裂中期像が必要であるため、検査材料を細胞培養法により細胞分裂を起こさせて標本作製を行う。
②細胞培養法において注意すべき点は無菌操作である。目的とする細胞のみを分裂増殖させるため、細胞培養に用いる器具、試薬類は滅菌済みのものを用い、クリーンベンチ内での操作となる。

2 先天異常を対象とした細胞培養法

Down症候群、Turner症候群、Klinefelter症候群など先天性染色体異常の診断に用いられる。

1. 末梢血リンパ球培養

①末梢血をヘパリン採血して、全血または白血球層のみを分取し、RPMI1640メディウム中で3日間、フィトヘマグルチニン(phytohemagglutinin；PHA)で刺激して分裂像を得る。末梢血中の成熟リンパ球は分裂能をもたないため、PHAを分裂刺激剤として加える必要がある。

②PHAはTリンパ球を幼若化させて細胞分裂を起こさせるはたらきがある．

③細胞に自己増殖能がある腫瘍細胞や，羊水，絨毛細胞にPHAを用いることはない．

2．皮膚線維芽細胞培養

末梢血リンパ球では異常を認めないモザイクなどでは，皮膚線維芽細胞を培養して，得られた細胞分裂像を対象に染色体検査を行う．

出生前診断のための細胞培養法

胎児に染色体異常があるかどうかをみるために羊水細胞培養，絨毛細胞培養により染色体検査を行う．いずれも流産の危険性があるため，その適応は高齢出産，染色体異常児出産既往者などに限られている．

1．羊水細胞培養

羊水中には胎児由来の細胞が存在するため，妊娠15週以降に超音波ガイド下に羊水穿刺を行い，10～20日間の細胞培養を経て標本作製する．

2．絨毛細胞培養

胎盤絨毛は胎児組織であるため，出生前診断の検査材料となる．妊娠10週前後に採取可能である．

無侵襲的出生前遺伝学的検査（noninvasive prenatal genetic testing；NIPT）

母体血を用いて，胎児の染色体異常を調べる検査．母体血液中にあるcell free DNAを大量並列シーケンサーで解析し，主に13番，18番，21番染色体のトリソミーを検出する．2011年，米国で臨床検査として利用できるようになり，わが国では2013年から臨床研究として実施されてきた．この検査は採血のみで簡単に実施できるが，偽陽性を認めることがあり，確定診断には羊水または絨毛による染色体検査が必要となる．

造血器腫瘍，固形腫瘍の診断のための細胞培養法

後天的に生じた染色体異常は腫瘍の原因となる．診断や病型分類のため，白血病では骨髄細胞培養，悪性リンパ腫ではリンパ節細胞培養，がんでは固形腫瘍細胞培養により染色体検査が実施される．培養時間は検査材料ごとに異なり，数本の培養フラスコに分けて数時間から数日間実施する．

1．骨髄細胞培養
骨髄穿刺により得られた細胞を短期培養（およそ一晩）することで細胞分裂像を得ることができる．

2．リンパ節細胞培養
リンパ節生検により得られた組織から，病変部を含む部分を切り出してハサミで細切して培養する．

3．固形腫瘍細胞培養
リンパ節細胞培養に準ずるが，汚染の可能性がある場合などは，適宜，抗生物質を加えて培養する．

その他の細胞培養法

1．高精度分染用培養
高精度分染用培養は，染色体の凝縮過程を抑制することで，染色体のバンドレベルを上げ（細く引き伸ばした状態），切断点の詳細な解析を行う場合に実施される．

2．リンパ球細胞株の樹立
リンパ球をEBウイルスに感染させて無制限な分裂，増殖を繰り返すリンパ球細胞株を樹立し，さまざまな実験に利用することができる．

B 標本作製法

学習の目標
- [ ] コルセミド処理
- [ ] 細胞の収集
- [ ] 低張処理
- [ ] 固定
- [ ] 展開
- [ ] 保存

コルセミド処理

細胞培養終了の1〜2時間前に，コルセミドを最終濃度が0.05〜0.1μg/mLとなるように添加する．これは紡錘糸（微小管）を切断するはたらきがある．

細胞の収集

①末梢血リンパ球，骨髄などの浮遊系細胞は，培養終了後，培養フラスコから遠心管に移して1,000 rpm，5分程度遠心して培養上清を捨てる．
②皮膚線維芽細胞，羊水，絨毛などの単層系細胞（培養フラスコの底面に付着して増殖する細胞）は，トリプシン溶液で細胞を剥離してから，細胞の収集を行う．

低張処理

0.075 mol/L塩化カリウムで低張処理を行う．これにより染色体は膨化する．

固定

メタノール3容，酢酸1容のカルノア固定液で，細胞を固定する．

展開

60℃程度の恒温水槽上，または火炎によりスライドガラス上の染色体を展開する．

 保存

カルノア固定した細胞は，冷蔵または冷凍で保存できる．

C 分染法

学習の目標
- Q染色法
- G染色法
- R染色法
- C染色法
- NOR染色法
- 姉妹染色分体の分染法
- 高精度染色体分染法

分染法(banding technique):染色体を横縞の縞模様に染め分けたり,特定の染色体部位を染色することにより,個々の染色体の識別を可能にする方法.染色体構造異常の解析,切断点の特定に利用される.分染法により出現するバンドについて表4-1にまとめた.

Q染色法

①主に**キナクリンマスタード**(quinacrine mustard)という蛍光色素を用い,蛍光顕微鏡で観察する.
②Y染色体遠位部は特に蛍光が強く,間期核でもYクロマチンとして観察できる.
③安定した染色結果が得られるが,バンドのコントラストはやや弱い.

表4-1 分染バンドの特徴

分染バンド	検出の目的	主な試薬	染色性と特徴
Qバンド	数的異常,構造異常の検出	キナクリンマスタード	A-T対多い,遺伝子密度が低い
Gバンド	標準法,数的異常,構造異常の検出	トリプシン,Giemsa染色液	A-T対多い,遺伝子密度が低い
Rバンド	染色体末端部の構造異常の検出	ブロモデオキシウリジン,アクリジンオレンジなど	G-C対多い,遺伝子密度が高い
Cバンド	構成性ヘテロクロマチン領域の検出	水酸化バリウム	αサテライトDNA,遺伝子は分布せず
NOR	付随体(サテライト)の検出	硝酸銀	付随体の染色 rRNAが存在する

G染色法

①染色体標本をトリプシンで処理した後，Giemsa染色を施す方法．
②最も標準的で，白黒濃淡の鮮明なバンドが得られるが，トリプシンの処理時間や標本作製時の温湿度などにより染色結果は左右される．

R染色法

①QおよびGバンドとはバンドパターンが反転した染色結果が得られる．Rは「reverse＝逆」の意味から命名された．
②染色体末端部分の構造異常の検出に役立つ．

C染色法

①セントロメア(centromere)近傍の構成性ヘテロクロマチン領域を水酸化バリウムで染め出す方法．
②1, 9, 16番およびY染色体ではその大きさに個体差がみられ，遺伝的なマーカーとして利用される．

NOR染色法

①硝酸銀を用いて，端部着糸型染色体(13～15, 21, 22番染色体)のサテライト(付随体)を染め出す方法．
②この部分にはrRNAが存在する[核小体形成部位(nucleolar organizing region；NOR)]．

姉妹染色分体の分染法

①2本の染色分体(chromatid)を染め分ける方法．
②姉妹染色分体交換(sister chromatid exchange；SCE)は健常人にも認められるが，紫外線照射や変異原曝露により増大することが知られている．

7 高精度染色体分染法

①詳細な切断点の解析を行う場合,染色体の凝縮を抑制した状態で観察する.
②メソトレキセートを用いる同調培養法と,エチジウムブロマイド(EB)により染色体凝縮を抑制する方法がある.

D 核型分析

学習の目標
- 顕微鏡観察
- 核型分析
- 核型の記載法
- 自動解析装置

顕微鏡観察

①総合倍率100倍で分裂像を探し，1,000倍で個々の染色体の観察を行う．
②まず，染色体数そして構造異常の有無について確認する．
③適当な分裂像は画像を記録して，詳細な解析を行う．

核型分析

①20個の分裂像を対象に，数的異常，構造異常について分析を行う．
②数的異常が考えられた場合，アーチファクトによるものかを鑑別するため，さらに観察細胞数を増やして観察する．

核型の記載法

核型の記載法は，ISCN（An International System for Human Cytogenetic Nomenclature）により定められている．主な記号を**表4-2**に示す．

①核型の記載法の基本は，染色体数のあとにコンマをおき，性染色体構成を示す．
　例）健常人女性　46,XX
　　　健常人男性　46,XY
②数の増減がある場合は，＋，－の記号のあとに染色体番号を記載する．
　例）21トリソミーをもつ女性　47,XX,+21
③先天的な性染色体の数的異常の場合は，＋，－の記号を使わず，

表4-2 染色体表記のための記号（一部抜粋）

cen	centromere	セントロメア
del	deletion	欠失
der	derivative chromosome	派生染色体
dup	duplication	重複
ins	insertion	挿入
inv	inversion	逆位
p	short arm of chromosome	染色体短腕
q	long arm of chromosome	染色体長腕
r	ring chromosome	環状染色体
rob	robertsonian translocation	ロバートソン転座
s	satellite	サテライト（付随体）
t	translocation	転座

以下のとおり記載する．
　例）Turner症候群　45,X
　　　Klinefelter症候群　47,XXY
④腫瘍細胞など，後天的に生じた性染色体の数的異常には，増減する染色体の前に，＋，－の記号を使用する．
　例）急性骨髄性白血病にみられた8;21転座にY染色体の欠失を伴う場合
　　　45,X,-Y,t(8;21)(q22;q22)
⑤構造異常がある場合は，t（translocation：転座），del（deletion：欠失），inv（inversion：逆位）などの記号を用い，（　）内には染色体番号，続く（　）内に切断点を記載する．
　例）9;22転座をもつ男性　46,XY,t(9;22)(q34;q11.3)
⑥その他　p：染色体短腕，q：染色体長腕を表す．

4 自動解析装置

①染色後の標本について分裂像の探索，核型分析を自動で行い，検査結果の出力，染色体画像や検査結果を記録，保管するシステムが利用できるようになった．
②核型分析は健常人のバンドパターンに基づいて行われるため，異常核型の確認は解析能力をもつ技術者に委ねられている．

E fluorescence *in situ* hybridization〈FISH法〉

学習の目標
- □ DNAプローブの種類
- □ 間期核FISH法
- □ 染色体ペインティング法
- □ SKY法

FISH (fluorescence *in situ* hybridization) 法

①分裂像や間期核を対象に特定の染色体，αサテライト領域，遺伝子領域を蛍光標識プローブでシグナルとして標示させる方法である．

②用いたプローブの情報しか得られないが，分裂像だけでなく間期核も分析の対象となるため，分析細胞数を増やすことで，より信頼性の高い検査が実施できる．

DNAプローブの種類

1．αサテライトDNAプローブ

染色体のセントロメア付近には高度反復配列が存在し，これをαサテライト領域とよぶ．これをプローブにして，数的異常の確認を行うことができる．

2．領域特異的プローブ

染色体上には多数の遺伝子が存在するため，これらをプローブにして，転座や逆位，欠失などの構造異常をFISH法で分析することができる．

3．ペインティングプローブ

ペインティングプローブとは，特定の染色体全体を染め分けるプローブである．

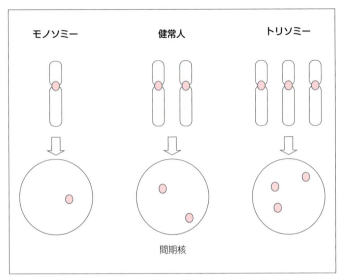

図4-1　αサテライトDNAプローブを用いた数的異常の検出原理

間期核FISH法

　染色体検査では細胞分裂像が必要であるが，骨髄，リンパ節，腫瘍組織などの培養で得られる細胞分裂像は必ずしも十分とはいえない．そこで，間期核を対象にFISH法を行うことで，数的異常や転座などの構造異常を効率よく検出することができる．

1．数的異常の検出
　αサテライトDNAプローブを用いたFISH法で，モノソミーやトリソミーを検出することができる．検出原理を図4-1に示す．

2．転座の検出
　領域特異的プローブを使用して白血病などにみられる転座を検出することができる．急性前骨髄球性白血病（FAB分類：M3）に特徴的な*PML-RARA*融合遺伝子の検出原理を図4-2に示す．

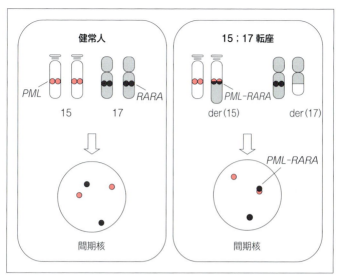

図4-2 *PML-RARA* 融合遺伝子の検出原理

染色体ペインティング法，SKY法

①染色体ペインティング法の1つであるSKY（spectral karyotyping）法とは，24種類（1〜22，XおよびY）の染色体を24色の蛍光標識プローブ（ペインティングプローブ）で染め分ける方法である．

②異なる染色体間での構造異常の検出に威力を発揮するが，同一染色体内での構造異常の検出はできない．

F 検査機器

学習の目標
- クリーンベンチ
- 炭酸ガス培養器
- 顕微鏡

クリーンベンチ

①染色体検査では細胞分裂を起こさせるために細胞培養を行う．
②外部からの微生物のコンタミネーションを防ぐ目的で，クリーンベンチ内で実施する．

炭酸ガス培養器

①培養細胞の増殖に最適な条件を作り出すための装置．
②通常37℃，5% CO_2の条件で細胞培養を行う．

顕微鏡

①染色体検査ではG染色法などの明視野で観察する光学顕微鏡および，Q染色法やFISH法など暗視野で観察する蛍光顕微鏡を使用する．
②蛍光顕微鏡は用いる蛍光色素により励起光と吸収波長が異なるため，適切なフィルターを選択する（表4-3）．

表4-3 蛍光色素の用途と励起光，吸収波長の関係

蛍光色素	用途	励起(nm)	吸収(nm)
Cy3	プローブの標識	550	570
DAPI	対比染色	360	460
FITC	プローブの標識	495	520
Rhodamine	プローブの標識	550	570

セルフ・チェック

A 次の文章で正しいものに○，誤っているものに×をつけよ．

	○	×
1. 染色体検査は細胞分裂が得られれば，検査材料の種類は問わない．	□	□
2. 骨髄細胞培養ではフィトヘマグルチニン（PHA）を加える．	□	□
3. 羊水または絨毛は出生前診断のための検査材料として用いられる．	□	□
4. Qバンドは位相差顕微鏡で観察を行う．	□	□
5. 染色体標本をトリプシン処理後，Giemsa染色することでGバンドが出現する．	□	□
6. Klinefelter症候群は47,XXYの核型を示す．	□	□
7. 47,XX,+21は21トリソミーをもつ女性である．	□	□
8. αサテライトDNAプローブは構造異常の検出に用いられる．	□	□
9. 細胞培養の操作は微生物による汚染を防ぐ目的でクリーンベンチ内にて行う．	□	□
10. 細胞培養は炭酸ガス培養器で37℃，5% CO_2の条件で行う．	□	□

A 1-×（目的により異なる），2-×（骨髄培養では加えない），3-○，4-×（蛍光顕微鏡），5-○，6-○，7-○，8-×（数的異常），9-○，10-○

B

1. フィトヘマグルチニンを添加するのはどれか．
   - □ ① 羊水細胞培養
   - □ ② 骨髄細胞培養
   - □ ③ リンパ節培養
   - □ ④ 固形腫瘍細胞培養
   - □ ⑤ 末梢血リンパ球培養

2. 正しい組合せはどれか．
   - □ ① コルセミド ──────────── Tリンパ球刺激
   - □ ② 0.075 mol/L 塩化カリウム ──── 細胞固定
   - □ ③ カルノア液 ──────── 低張処理
   - □ ④ フィトヘマグルチニン（PHA）── 紡錘体形成阻害
   - □ ⑤ エチジウムブロマイド ─────── 染色体凝縮の抑制

3. 正しい組合せはどれか．
   - □ ① G染色法 ──── ブロモデオキシウリジン
   - □ ② C染色法 ──── キナクリンマスタード
   - □ ③ R染色法 ──── 水酸化バリウム
   - □ ④ Q染色法 ──── トリプシン
   - □ ⑤ NOR染色法 ── 硝酸銀

4. 染色体の欠失を表すのはどれか．
   - □ ① t
   - □ ② del
   - □ ③ inv
   - □ ④ q
   - □ ⑤ p

B 1-⑤，2-⑤（①：コルセミド―紡錘体形成阻害，②：0.075 mol/L 塩化カリウム―低張処理，③：カルノア液―細胞固定，④：フィトヘマグルチニン（PHA）―Tリンパ球刺激），3-⑤（①：G染色法―トリプシン，②：C染色法―水酸化バリウム，③：R染色法―ブロモデオキシウリジン，④：Q染色法―キナクリンマスタード），4-②（表4-2参照）

5．FISH法で検出できるのはどれか．**2つ選べ**．
- □ ① 転　座
- □ ② トリソミー
- □ ③ フレームシフト
- □ ④ ノンシノニマスバリアント（ミスセンス変異）
- □ ⑤ 蛋白質の発現

5-①と②

索 引

和 文

あ

悪性リンパ腫　76
アデニン　5
アニーリング　45
アミノアシルtRNA　10
アンチコドン　9, 17

い

移植医療　29
異数性　73
一塩基バリアント　21
遺伝学的カウンセリング　54
遺伝学的検査　38, 39
遺伝子異常　23, 76
遺伝子型　23
遺伝子検査　38, 39
遺伝子診断　26
遺伝子治療　27
遺伝子導入法　28
遺伝子マッピング　72
遺伝情報管理　54
遺伝毒性　23
遺伝毒性物質　23
遺伝倫理　54
イントロン　17
インフォームド・コンセント　54

う

ウイルス検査　38
ウラシル　5

え

エクソン　17
エチジウムブロマイド　86
塩基除去修復　14
塩基置換　20
塩基配列変化　20

お

岡崎フラグメント　13
オルガネラ　2

か

開始コドン　17
核　1, 2
核型　70
核型進化　72
核型の記載法　87
核型分析　87
核酸　5
核酸検査　38
核酸増幅装置　56
核酸代謝　7
核酸の合成　7
核酸の分解　7
核小体　2
確定診断　26
片親性ダイソミー　73
滑面小胞体　2
がん遺伝子　25, 26
がん遺伝子検査　39, 40
がん遺伝子パネル検査　52
間期　68, 69

間期核FISH法　90
環状染色体　74
がん抑制遺伝子　25, 26

き

キナクリンマスタード　84
逆位　74
キャップ構造　16
極　3

く

グアニン　5
クリーンベンチ　92
クロマチン　2, 10, 66
クロマチン線維　10

け

蛍光顕微鏡　84, 92
蛍光色素　92
欠失　74
ゲノム　15
ゲノムインプリンティング　74
ゲノム刷り込み現象　74
減数分裂　68, 70
顕性遺伝　24
検体の採取　41
検体の保存　41
顕微鏡　87, 92

こ

光学顕微鏡　92
高精度染色体分染法　86
高精度分染用培養　81
構造異常　74, 84, 89, 91
構造遺伝子　19
国際命名規約　70
固形腫瘍細胞培養　81
個人識別　40
骨髄細胞培養　81

固定　82
コドン　9
コドン表　19
コルセミド　82

さ

細菌核酸検査　38
再生医療　29
細胞質　1
細胞周期　68
細胞小器官　2
細胞の収集　82
細胞培養法　79
細胞分裂像　79
細胞膜　2
サイレント変異　21
サザンブロット法　49
サザンブロット法のトラブルシューティング　49
サテライト　66, 67, 85
作動遺伝子　19
酸性フェノール　44

し

シークエンサー　56
シークエンス解析法　50
次世代型シークエンサー　52, 57
自動解析装置　88
シトシン　5
シノニマスバリアント　21
姉妹染色分体の分染法　85
終止コドン　19
重複　74
絨毛細胞培養　80
出生前診断　27, 38
守秘義務　54
硝酸銀　85
常染色体　67
常染色体異常　75

常染色体顕性遺伝　24
常染色体優性遺伝　24
常染色体潜性遺伝　24
常染色体劣性遺伝　24
小胞体　2
真核細胞　1
伸長反応　45

す

水酸化バリウム　85
数的異常　73, 84, 89, 90
スプライシング　10, 17

せ

精子　70
成熟mRNA　17
生殖細胞　70
生殖細胞系列遺伝子検査　38, 39
性染色体　67
性染色体異常　75
染色質　2
染色体　10, 66
染色体異常　76
染色体検査　79
染色体微細欠失・重複症候群　75
染色体微細欠失症候群　75
染色体不安定症候群　75
染色体ペインティング法　91
染色体末端　66
染色分体　66
潜性遺伝　24
先天性染色体異常　75
セントロメア　66, 67

そ

臓器移植　29
造血幹細胞移植　29
造血器腫瘍　76
挿入　74

増幅　45
相補的DNA　46
粗面小胞体　2

た

大規模並列シークエンシング法　57
体細胞　70
体細胞遺伝子検査　38, 39
体細胞分裂　68, 70
耐熱性DNAポリメラーゼ　45
多因子遺伝疾患　25
多型　20
単一遺伝子疾患　24, 24
炭酸ガス培養器　92
蛋白質合成　17, 20
短腕　66, 67

ち

チミン　5
中心小体　3
中心体　3
調節遺伝子　19
長腕　66, 67

て

低張処理　82
低分子RNA　10
デオキシリボ核酸　5
テロメア　66, 67
テロメラーゼ　67
転移RNA　9
展開　83
電気泳動装置　58
転座　74, 90
転写　2, 15

と

独立の法則　22
ドラムスティック　67

と

トランジション　20
トランスイルミネーター　58
トランスバージョン　20
トリソミー　90
トリプシン　85
トリプレットコドン　17
ドロップレットデジタルPCR　52

な

ナンセンスバリアント　21
ナンセンス変異　21

ぬ

ヌクレオシド　5, 6
ヌクレオソーム　10
ヌクレオチド　5, 6
ヌクレオチド除去修復　14

ね

熱変性　45

の

ノザンブロット法　49
ノンシノニマスバリアント　20

は

配偶子　70
倍数性　73
ハイブリダイゼーション　48
ハイブリダイゼーションプローブ法　51
発がんドライバー遺伝子　39
白血病　76
白血病遺伝子検査　39
発症前診断　27, 38
バリアント　20
反復配列　21
半保存的複製　12

ひ

微小管　67, 82
ヒトゲノム　15
皮膚線維芽細胞培養　80
表現型　23
病原体遺伝子検査　38
ピリミジン塩基　5, 6

ふ

ファーマコゲノミクス　30
ファーマコゲノミクス検査　30, 40
フィトヘマグルチニン　79
フェノール・クロロホルム法　44
複製　12
複製フォーク　12
付随体　66, 67, 84, 85
プライマー　45
プリン塩基　5, 6
プレmRNA　10, 16
フレームシフト　21
ブロッティング装置　56
分染法　84
分離の法則　22
分裂期　68, 79

へ

ペインティングプローブ　89
ベクター　27
ヘテロ核内RNA　10, 16
変異　20
変異原　23, 73
変化　20

ほ

保因者診断　27, 38
紡錘糸　67, 82
母性遺伝形式　3, 25
保存　83

ポリA配列　16
翻訳　2, 17, 18

ま

マイクロRNA　10
マイクロサテライト　21
マイクロサテライト法　50
末梢血リンパ球培養　79

み

ミススプライシング　21
ミスセンス変異　20
ミトコンドリア　3
ミトコンドリアDNA　15
ミトコンドリア遺伝子　3
ミトコンドリア遺伝病　25
ミニサテライト　21

む

無侵襲的出生前遺伝学的検査　80

め

メッセンジャーRNA　9
メンデル遺伝疾患　24
メンデルの法則　22, 24

も

モノソミー　90

や

薬剤代謝酵素検査　40

ゆ

優性遺伝　24
優性の法則　22

よ

羊水細胞培養　80

ら

ラギング鎖　12
卵子　70

り

リーディング鎖　12
リキッドバイオプシー　52
リソソーム　4
リボース　5
リボ核酸　5
リボソーム　2, 17
リボソームRNA　10
リボソームRNA前駆体　2
領域特異的プローブ　89, 90
隣接遺伝子症候群　75
リンパ球細胞株　81
リンパ節細胞培養　81

れ

劣性遺伝　24
レプリコン　12

ろ

ロバートソン転座　74

数字

2'-デオキシリボース　5

ギリシャ文字

αサテライトDNAプローブ　89, 90

欧文

A

AGPC(acid guanidinium thiocyanate-phenol-chloroform)法 44

B

Barr小体 67

C

cDNA 46, 51
cen 66, 88
chr 66
cht 66
C染色法 85
Cバンド 84

D

ddPCR 52
del 74, 88
der 88
DNA 5, 6
DNA結合色素法 51
DNAジャイレース 12
DNA抽出 44
DNAの構造 8
DNAの修復 13
DNAの損傷 13
DNAの複製 2
DNAヘリカーゼ 12
DNAポリメラーゼI 12
DNAポリメラーゼIII 12
DNAマイクロアレイ法 50
DNAリガーゼ 12
dup 74, 88

F

FISH法 50, 72, 89

fluorescence in situ hybridization法 50, 72, 89

G

G_1期 68
G_2期 68
genotype 23
Giemsa染色 85
Giemsa単染色 70
Golgi装置 3
G染色法 70, 85
Gバンド 84

H

hnRNA 9, 10, 16, 17

I

ins 74, 88
inv 74, 88
iPS細胞 30
ISCN 70, 87

L

LAMP法 46, 47

M

miRNA 9, 10
mRNA 9, 17
mRNA前駆体 10, 16
M期 69, 79

N

NALC(N-アセチル-L-システイン)-NaOH 42
NGS 52, 57
NIPT 80
NOR 84

NOR染色法　85

P

p　66, 88
PCR法　45, 50
PCR法トラブルシューティング　45
PGx　30
PHA　79
phenotype　23
*PML-RARA*融合遺伝子　90
polymerase chain reaction法　45

Q

q　66, 88
Q染色法　84
Qバンド　84

R

r　74, 88
Real-time PCR法　51
RNA　5, 6
RNA抽出　44
RNAの種類　9
RNA分解酵素　44
RNAポリメラーゼ　12, 16
rob　74, 88

rRNA　9, 10
RT-PCR（reverse transcriptase-polymerase chain reaction）法　46
R染色法　85
Rバンド　84

S

s　66, 88
SKY法　91
snRNA　9, 10
SNV　21
S期　68

T

t　74, 88
TaqManプローブ法　51
ter　66
TMA法　46
tRNA　9, 9
tRNAの構造　9

X

Xクロマチン　67
X染色体の不活性化　67
X連鎖潜性遺伝　24
X連鎖劣性遺伝　24

【編者略歴】

大島利夫（おおしま としお）

- 1981年 北里大学衛生学部卒業
  日本歯科大学歯学部病理学教室助手
- 1982年 東海大学医学部付属病院診療技術部臨床検査科
- 2000年 東海大学医学部付属病院診療協力部中央臨床検査センター係長
- 2014年 東海大学医学部付属病院診療技術部臨床検査技術科科長補佐
- 2016年 杏林大学大学院医学研究科博士課程修了（病理系感染症・熱帯病学）
  千葉科学大学危機管理学部医療危機管理学科非常勤講師
- 2017年 千葉科学大学危機管理学部医療危機管理学科准教授
- 2019年 千葉科学大学危機管理学部保健医療学科教授
- 2020年 千葉科学大学大学院危機管理学研究科教授

現在にいたる　医学博士

藤田和博（ふじた かずひろ）

- 1985年 昭和大学藤が丘病院血液センター
- 1989年 昭和大学藤が丘病院血液センター主任補佐
- 1992年 東京理科大学理学部化学科卒業
  昭和大学医学部内科学教室研究副手（特別研究生）
- 1995年 昭和大学藤が丘病院血液センター主任
- 2000年 昭和大学藤が丘病院中央臨床検査部主任
- 2002年 昭和大学　博士（医学）
- 2007年 東京文化短期大学臨床検査学科准教授
  （2010年　新渡戸文化短期大学に名称変更）
  昭和大学藤が丘病院血液内科兼任講師
- 2011年 新渡戸文化短期大学臨床検査学科教務主任兼務
- 2012年 新渡戸文化短期大学臨床検査学科教授
- 2014年 大東文化大学スポーツ・健康科学部健康科学科教授／同大学院スポーツ・健康科学研究科教授兼務

現在にいたる　医学博士

ポケットマスター臨床検査知識の整理
遺伝子関連・染色体検査学　第2版　　ISBN978-4-263-22425-0

2019年 1 月10日　第1版第1刷発行（遺伝子・染色体検査学）
2022年12月20日　第2版第1刷発行（改題）

編　者　大　島　利　夫

藤　田　和　博

発行者　白　石　泰　夫

発行所　医歯薬出版株式会社

〒113-8612　東京都文京区本駒込1-7-10
TEL　(03) 5395-7620（編集）・7616（販売）
FAX　(03) 5395-7603（編集）・8563（販売）
https://www.ishiyaku.co.jp/
郵便振替番号　00190-5-13816

乱丁，落丁の際はお取り替えいたします．　　　　　印刷・教文堂／製本・榎本製本
© Ishiyaku Publishers, Inc., 2019, 2022.　Printed in Japan

本書の複製権・翻訳権・翻案権・上映権・譲渡権・貸与権・公衆送信権（送信可能化権を含む）・口述権は，医歯薬出版（株）が保有します．
本書を無断で複製する行為（コピー，スキャン，デジタルデータ化など）は，「私的使用のための複製」などの著作権法上の限られた例外を除き禁じられています．また私的使用に該当する場合であっても，請負業者等の第三者に依頼し上記の行為を行うことは違法となります．

JCOPY ＜出版者著作権管理機構　委託出版物＞

本書をコピーやスキャン等により複製される場合は，そのつど事前に出版者著作権管理機構（電話03-5244-5088，FAX 03-5244-5089，e-mail:info@jcopy.or.jp）の許諾を得てください．